Enero es el mes más largo

New York, NY.

Colección  Sudaquia

Enero es el mes más largo

Keila Vall de la Ville

Sudaquia Editores.
New York, NY.

ENERO ES EL MES MÁS LARGO BY KEILA VALL DE LA VILLE

Enero es el mes más largo

Published by Sudaquia Editores
Collection design by Sudaquia Editores
Cover design by Cristina Müller
Author image by Fabio Filippi

First Edition Sudaquia Editores: May 2021

Printed in the United States of America

ISBN-10 1944407642
ISBN-13 978-1-944407-64-3

10 9 8 7 6 5 4 3 2 1

Sudaquia Group LLC
New York, NY

For information or any inquires: central@sudaquia.net

www.sudaquia.net

Índice

Yo vine a enderezar problemas

Esto es inapropiado, debe ser incluso ilegal. Eso dijo la madre en un tono amenazante: esto luce inapropiado, tal vez es ilegal. Algo así expresó en vez de: dónde estabas metida, niña, y qué preocupación, horas buscándote y qué tienes en las manos, por qué tan negras. Ella no dijo: estaba preocupada por ti, dónde te metiste y por qué vienes tan sucia, tan llena de tierra. Todo era confuso, eso debo decir a su favor. La niña aún lloraba y a cada instante volvía con las uñas a la boca, las uñas negras de humus, para más señas, a la boca. Esto está muy mal dijo su madre. Dónde la llevaste, me preguntó. Qué hacían. Dónde está el pez.

No más pronunció la palabra pez, la niña, que la miraba en el momento con los ojos aguados curvando incómoda el cuello desde abajo como un flamingo -que es como miran los niños cuando nadie se esfuerza en mirarlos bien- rompió en un alarido y luego en un llanto descontrolado que nadie intentó calmar.

Si no quiere que se le muera un pez no compre un pez, he debido decir a la señora. Son como las plantas. Misteriosos. Requieren ciertos procedimientos. Pero en cambio dije:

—Ya lo enterramos.

La niña había salido a la piscina con la intención de liberarlo. Yo le había preguntado un día antes viéndola mecer la bolsa con el animal acuático dentro, mientras saltaba de dos en dos las escaleras hacia el lobby, si no le daba pena, si no le daba pesar el pobre pez: debe estar mareado, le había dicho. Y se ve que mi pregunta la inquietó. Decidió tomar medidas. Así que de cierta manera yo fui la responsable de todo aquello. El asunto es que la piscina estaba medio congelada, porque es otoño, pero en este pueblo perdido en la mitad de la nada en el punto cero del frío en la soledad absurda de una frontera que no pienso cruzar, ese día las temperaturas estaban especialmente bajas. El termostato del jardín, y decir jardín es generoso al menos en este tiempo del año –quién sabe si es siempre así y yo personalmente no quisiera averiguarlo– decía quince grados Fahrenheit. Es lo único que sé. Salió la muchachita con la bolsa plástica y transparente conteniendo a su mascota imposible al jardín yermo o invernal, se acercó a la piscina, a aquel rectángulo gris más que azul, se asomó, y al entender la imposibilidad de su proyecto de liberación, caminó de vuelta al lobby. En el camino hacia la puerta se sentó en el banquito que dice Welcome pensando en alternativas.

Es extraño. Dice Welcome pero está en la puerta trasera del hotel. No entiendo si se trata de una invitación a sentarse o si la idea es evitar toda sensación de extranjería en aquel patio seco de piscina vacía, o nevado de piscina hecha hielo. No me consta, esto no me consta pues yo soy apenas una recién llegada, pero la anciana del 17, que vive acá no entiendo por qué, y no sale nunca, mascculló hoy al recoger su desayuno en el umbral de la puerta de su habitación algo así como: amanecimos en invierno. Mañana será otoño otra vez. Cómo sé esto, no viene al caso.

Volviendo al jardín, al hielo y al pez, y sobre todo al banquito amable, no se sabe si aquel mensaje: Welcome, busca invitar un regreso indoloro al alojamiento tan oscuro en el que me hospedo y donde ninguno de los forasteros con los que convivo, que yo sepa, permanece por asuntos de placer. Es imposible saber si aquel banco y su letrero intentan animar el regreso a los aposentos interiores del hotel, o si es una invitación a sentarse en él, a ocuparlo: bienvenida al banquito, Jaro. Bienvenida al banquito, niña.

No me quejo. Yo vine fue a resolver problemas.

Allí estuvo pues la niña frente a la puerta posterior del hotel disfrazada de entrada principal del hotel. Se sentó sobre la nieve en el banquito que dice Welcome. Posó la bolsa plástica junto a ella. Se dijo que no entrarían más, que si no le compraban una pecera para la mascota no volvería a entrar. También se dirigió al pez: Pez, si no te compran una pecera nos quedamos acá. Estamos en huelga, Pez. No sé cuánto tiempo transcurrió, cómo saberlo. Comenzó a sentir las orejas heladas, la nariz a punto de caerse. O había escuchado que a bajas temperaturas ciertas partes del cuerpo se congelan y se caen. Será cierto y qué miedo, pensaría angustiada. Temió así que se le cayeran las orejas, la punta de la nariz, y decidió entrar. Hasta luego, Welcome. Sin mirar, tomó la bolsa. Empujó la puerta. Welcome.

No más cruzó hacia el lobby, la chica sexy de cabello corto en la recepción dijo:

—¡Ay!, ¿qué pasó?

—¿Qué pasó? —preguntó la niña.

—¡El pez!

—¿Qué pasó?

Pues que el contenido de la bolsa, animal incluido, se había congelado. Pienso ahora en Damien Hirst y su tiburón flotando por siempre en una pecera de acrílico. Me digo Damien Hirst y viene a mi mente la imagen de una calavera incrustada en diamantes. Pienso en la calavera de diamantes y me digo: pastillas exhibidas como obra de arte. Y así. Pienso en enfermedades. Pienso en cosas horribles.

No sé si ya lo comenté, pero yo vine fue a enderezar problemas. El mío, sobre todo, que son varios pero empieza con uno. Esa mañana, al terminar de desayunar, salí hacia la recepción preguntándome cómo lograrlo. Cómo decirle lo que había venido a decirle, mejor dicho, cómo podía comenzar por hacerle saber que yo estaba allí, que venía sin mala intención, que yo soy yo. Me preguntaba cómo decirle acá estoy sin que se ofendiera, sin que saliera corriendo, sin que todo terminara como había comenzado. Otra huida.

Venía pensando en el próximo paso: todo siempre tiene un orden. Me digo que el orden hay que respetarlo sobre todo si el objetivo es hacer las cosas bien, más aún si el objetivo es enderezar lo que viene mal, lo que ya se dañó o se petrificó. Venía pensando en esto y ahí es cuando me encuentro en pleno lobby con la niña batiendo la bolsa hacia los lados, mínimos trozos de hielo rotos dentro, algo de agua escarchada, y el pez. Damien. Lo llamaré Damien. Al pez.

Lo que hicieron debe ser ilegal. Seguro no está permitido, enterrar un animal en el jardín. Eso fue lo que dijo la madre de la niña cuando nos vio regresando, ella con las manos sucias, yo con las rodillas llenas de tierra y un cuchillo del restaurante: lo que usamos como pala para abrir el hueco donde depositamos a Damien.

—Yo vine a enderezar problemas – eso fue lo que respondí.

—Pues deberías empezar por ti – eso fue lo que dijo.

—Sí, a eso vine —dije—. No quiero problemas.

Yo no entiendo por qué el odio, pensé, la incomprensión se vuelve violencia y no entiendo por qué. Esto no terminará jamás, pensé. Una reflexión breve, porque ahí mismo la madre añadió:

—Límpiate la falda: estás sucísima.

—Gracias —respondí.

Me di media vuelta. Atrás quedó la niña llorando, ahora con más ganas. Creo que la madre la zarandeaba, tal como ella misma había zarandeado al pez minutos atrás, pero eso no me consta, lo de la niña. Yo no miré atrás. Me consta sólo lo de Damien. Y si digo Damien, ahora que está enterrado de qué me sirve pensar en lo otro, ya no hay pez congelado o en caja de acrílico. Digo Damien y ahora pienso en Daemon, en las mariposas que seguí para llegar hasta acá y en cactus. Y no, no tiene nada que ver pero la mente es así, tramposa, además yo no creo en esas cosas ni me interesan, pero cuando digo Daemon yo no sé por qué también me digo 666 y viene a mi mente: habitación 13. Esa es mi habitación. Que no se malentienda, no me molesta el 13. Cualquier número que no sea par, eso le pido, fue lo que dije a la señorita sexy del lobby cuando me entregó una llave con el número 8 tallado en la enorme superficie rústica de madera que hace de llavero a cada una de las veinte llaves de este hotel. No caben en ningún bolsillo. Mi falda no tiene bolsillos.

—¿Me daría cualquier número impar?

—¿Piso uno o piso dos?

—Cualquier número impar.

Me dio el 13. Perfecto. Pensemos en cactus. Pensemos en mariposas. Pensemos en el murmullo de los aleteos que me trajeron hasta acá.

Yo me llamo Jaro. Realmente me llamo Jaroslav y eso, este nombre, es lo único que me dio mi padre antes de perderse. Este nombre inútil del que no puedo siquiera usar todas las letras porque honestamente yo no tengo cara de Jaroslav, es lo único que él me dejó. No puedo ser Jaroslav por varios motivos. En primer lugar, se nota que los países eslavos me quedan lejos. No soy eslavo, o ruso o ukraniano o checoslovaco. Esto es obvio. Tampoco soy eslava, o rusa o ucraniana o checoslovaca. Soy Jaro, la mujer que desayuna fresas a las ocho y treinta y cinco de la mañana. Jaro Duany. La mujer de la habitación 13 que vino a buscar a su amante. A explicarle todo. De ser necesario, a pedir perdón.

Dejé a la niña y su madre y me fui a la salita. Hablando de problemas: la chimenea de la salita no sirve. Ese problema si es verdad que no lo resolveré yo. Eso me dije: no resolveré yo lo de la chimenea. Claro que no. Es hora de hacer un plan, pensé. Me senté en el sofá de tres puestos. En la plaza del centro. Muy derecha. Manos en las rodillas. Cuchillo de jardinería, llamémoslo así, en una de ellas. Cerré los ojos. Tengo que hacer un plan. No dormí, permanecí.

En eso el frío y el cambio de luz. Se siente bajo los párpados. Cuando la anciana del diecisiete se acerca su presencia se siente bajo la piel. Dicen que ella sí vive acá. Asegura la señorita sexy de la recepción que tiene pocos muebles en su habitación y que si te toca, te seca. No estoy segura de lo demás, añadió al contarme, y yo me pregunté qué sería lo demás mientras ella continuaba: yo sólo sé que cuando le entregué la llave sus dedos apenas me rozaron y sentí un escalofrío y una liviandad. Como si de pronto pesara varias libras menos. Mucho frío. Como si de pronto hiciera quince grados Farenheit. Por eso ahora siempre uso guantes: ¿ves? Y extendió sus manos hacia mí como en una ofrenda.

¿Cuánto de todo esto será culpa de la señora?, me pregunté allí quieta en el sofá de la salita helada. Nada, Jaro. Esto no tiene nada que ver con la señora. Concéntrate. Tienes que hacer un plan. Eso me dije pero no lo logré o no instantáneamente, porque ella continuaba a mis espaldas, ahora indagando los libros en la pequeña biblioteca de atrás. Escondí el cuchillo de jardinería bajo el cojín. Hacía frío. Mucho frío.

A ver, a ver. A ver, a ver, dijo. En eso sentí se aproximaba, y su voz ronca tras de mí: enhorabuena. No supe si dar las gracias en principio por saberme en desventaja. Esta mujer sabe algo que yo aún desconozco, me dije. No te desconcentres, Jaro. Me puse de pie. Podría haber pensado en cambiarme la falda, pero no lo hice, sobre todo porque muda de ropa, no traje. Me traje a mí, que ya es bastante, y llegué al hotel a tiempo. No hay más nada qué decir. Yo vine a hacer las cosas bien.

Subí a mi habitación. Me quedé mirando las fotos en blanco y negro que cuelgan de las paredes del aposento. El lobby del hotel. El jardín seco del hotel. Otra imagen: la piscina, con agua. La entrada del hotel y el banquito que dice Welcome pero acá en esta foto aparece en la entrada principal. Fotos sin gente. Es extraño, cuando subo a mi habitación me encuentro de nuevo en la entrada del hotel. Al segundo día pregunté a la chica del lobby por el nombre del fotógrafo. No sabe. Comenté lo absurdo de unas fotos túnel que me llevan siempre al comienzo, que me llevan siempre a la entrada del hotel en el que intento hacer las cosas bien. La joven subió los hombros a las orejas como diciendo: lo que sea. Todo da igual.

Me asomé a la ventana.

Todo es perfecto. No todo da igual.

Acaba de llegar. Viene con un cactus esférico en la mano cruzando el estacionamiento. Lo abraza. Yo me digo: que no se vaya a pinchar. Trae una pesada maleta en la que sé, viaja el amplificador y su ordenador portátil. Me parece que en cualquier momento tropezará. Que no se caiga ella. Que no se caiga el cactus. Son las diez. De dónde vendrá y dónde habrá dormido. De dónde habrá sacado el Geohintonia. Me miro al espejo, enderezo mi atuendo. Sacudo un poco la tierra. Reviso el maquillaje. Todo bien. Bajo las escaleras a toda velocidad sintiendo los listones de la pared de madera con los dedos de mi mano derecha. Llego al lobby.

–¿La persona del cactus?

–¿Cómo?

–La de la maleta.

No hace falta que le explique. En ese momento escucho el retorno de un amplificador. Sigo el sonido que me lleva a la biblioteca. He llegado a tiempo, me digo. La mujer ceniza ya no está, gracias a los cielos helados de este pueblo perdido en la mitad de la nada antes de cruzar la frontera que no cruzaré. En la salita veo solo a la persona que he venido a buscar. Ha posado el cactus sobre la mesa junto a la ventana. Lo trata como a una mascota, parece que lo acaricia, aunque esto, claro, no es posible. Me asomo sin hacer ruido. Conecta los cables del amplificador a la laptop. Conecta los cables y micrófonos al cactus. Se calza los audífonos plateados. Creo que sonríe mientras recorre con la mano las agujas vegetales. En esto comienza a sonar la música. Y todo sería muy raro, un sueño más. Otra situación imposible si no fuera porque ya la he vivido o para ser más precisa, ya la he escuchado. Cada espina tiene un sonido distinto, los intervalos están en escala musical, esto me ha explicado la persona que compone canciones con un cactus, eso me ha explicado la persona que amo cuando en el pasado ha punteado las agujas del cactus. La conexión tiene sentido, afirmé yo aquella noche, la primera. Y claro, la mía era una forma sintética de decir todo lo demás. Si pensamos en la relación entre las matemáticas, la biología y la música, todo tiene sentido, eso dije. Todo está conectado. Y era una manera de afirmar todo lo demás. Las cosas que importan están siempre más cerca de lo que parece. No lo he dicho yo.

El tiempo se ha suspendido pero en eso escucho a mi espalda unos pasos apresurados y el reloj vuelve a andar. Alguien corre hacia mí, hacia la salita biblioteca, escucho los pasos acelerados a mi espalda y pienso en interrupciones. Me duelen los ojos. La persona que he venido a buscar continúa ante el globo y sus agujas, y el concierto sigue. Sin deseos de voltear, sintiendo lágrimas estancadas, lágrimas antiguas que no dejaré caer, yo una foto, una foto en blanco y negro progresivamente tomando color, percibo que los pasos se han detenido a mis espaldas. Ahora siento algo en mi mano. Una mano pequeña se ajusta a la mía. Miro hacia abajo y encuentro sus ojos. La niña me observa emocionada. Me hace señas, apunta hacia la planta y la mujer. Me inclino hacia ella y susurro:

—Es un cactus.

La niña responde en secreto:

—Ya sé.

Sujeto su mano con fuerza. Nos quedamos allí. Todo detenido en la emoción antes de comenzar con lo que está por venir. El pecho ardiendo. Yo vine a arreglar las cosas, yo vine a hacer las cosas bien, me digo.

Todo en esta vaina es un flash

En la única foto que conservo de aquel tiempo parezco un fantasma: salgo blanquísima y con los ojos cubiertos por el dorso de mi mano, el resto de mi cara luce contraída. Estoy como protegiéndome de un impacto, de la caída de un meteorito, digamos. No se ve mucho más. Llevo una camisa a cuadros. Unos bluyines rotos. Estoy en una plaza rodeada de gente y todo en el entorno luce oscuro. Si cierras los ojos: ¿estás allí?, ¿están los demás? Más que mi retrato esta es la foto de un sonido crudo, feroz, empecinado. Cuatro cabillas dándole con furia a un cilindro de metal, a un contenedor de basura para más señas, que habíamos robado de la puerta de algún edificio días antes y que luego soldamos —cierra los ojos a la chispa, que enceguece— para convertir en una escultura, en un instrumento de música industrial que llamamos La Máquina. Esa noche, la noche de la foto en la que lo único mío a la vista es el atuendo y la palma de la mano cubriéndome la cara y enfrentada al flash, ellos tocaban justamente La Máquina, como siempre al ritmo improbable pero absolutamente real —y contundente— de los tambores de Choroní en remezcla con Neubauten. De aquel concierto solo se preservaron dos cosas: la imagen impactada de una necesidad, la de procesar el mundo en dosis pequeñas, y un instrumento musical escultura abollado en la mitad de una plaza. La luz cruda lavó la imagen, permaneció apenas el vestigio del sonido. Todo lo que importa es siempre un flash.

Lo diré así: cuando uno de los dos se enjabonaba los pies el otro debía esperar en la esquina. Si uno de los dos subía los codos para lavarse el cabello con champú, el otro debía esperar con los brazos abajo. En aquella cápsula que era la ducha de Cael, no cabíamos de ninguna otra forma sino en posición vertical y muy cerca el uno del otro. Era un tubo blanco de acrílico, el vestigio futuro de una nave espacial que bien podía conformar un set de filmación de Alien, que tenía algo de Giger, que bien podía aparecer en un cuadro de Escher.

La ducha cápsula, el apartamento en el que estaba la ducha, aquel edificio, integraban la nave nodriza, o así llamábamos a Parque Central, un desarrollo urbano muy moderno durante los años setenta, o mejor dicho futurista, en los años setenta, y donde Cael vivía veinte años después. Incluía innumerables locales comerciales y restaurantes y panaderías, un gran hotel de lujo, unos cuantos burdeles, y unos tres, tal vez cinco, de los más importantes museos de Caracas. Su larga columna vertebral, el tronco de ese árbol genético de lo que nunca fue, conectaba seis edificios residenciales de cuarenta y cuatro pisos de altura albergando más de trescientos apartamentos. Si hacemos *zoom in* en esta historia, llegamos a la puerta de vidrio del edificio El Tejar. Si tomamos el ascensor y nos bajamos en el piso treinta y ocho, en el apartamento treinta y ocho F, encontraremos a Clea y Cael en aquella cápsula blanca.

Zoom out.

Tarde o temprano a través de alguna de las entradas con sus veintiséis ascensores, se asomaba algo de luz proveniente digamos que del espacio exterior, y un trocito de paisaje urbano permitía saber hacia dónde se caminaba, a qué altura estábamos en el túnel galáctico, qué habría un poco más allá. Pero seré clara: estábamos en un laberinto.

Parque Central, aún veinte años después del futuro que nunca fue, era un mundo autocontenido: podías vivir allí sin salir jamás y no te faltaría nada, quizás algo de sol y ni siquiera, porque tenía también breves jardines acá y allá. Si digo Alien, Giger y Escher, y lo he dicho, todo lo demás está de más. No sé porqué he continuado.

A lo próximo.

Nuestro mastodonte biomecánico lindaba con el barrio de San Agustín y era permeable, así que había que estar pilas, tenía sus zonas peligrosas. O eso aseguraban los demás. Lo diré así: Cael era amigo de todo el mundo y aquella sinuosidad con sus zonas oscuras siempre habitadas por seres invisibles y sus luces de neón encendidas hasta la altísima madrugada, le pertenecía tanto como la pequeña circunvalación que era su apartamento. Conocía y saludaba a la gente de las once de la mañana, de las dos de la tarde, de las diez de la noche, y a la gente de las dos y de las cinco de la madrugada, cuando veníamos zigzagueando aquellos pasadizos, tomándonos de las manos para volvernos a soltar, luciendo aquel color espectral que sólo procuran los bombillos de neón. Obvio: no saludábamos a las personas de las ocho o nueve de la mañana. Esa gente es de otra especie, decíamos. La especie de los que duermen cuando nosotros estamos vivos. Lo llaman adaptación natural, nuestra piel se volvió transparente. Y pronto fluorescente.

Por ejemplo: una vez fuimos a una casa de playa en Caraballeda y al vernos salir a la piscina en traje de baño nuestros amigos dijeron: no me jodas. Y se protegieron la vista con gafas de sol.

Por supuesto esto no ocurrió, es un decir, pero se entiende la idea y no es tan improbable que la conversación entre Cael y yo fuese algo así:

—Pareces un renacuajo, Cael. Estás transparente.

—¿Y tú? Mírate las venas. Provoca mordértelas.

El caso es que los horarios lo cambian todo, la cualidad de la luz lo cambia todo. Y nosotros no éramos los transeúntes apresurados de las seis ni a las ocho de la mañana.

Volviendo al punto y a la nave nodriza: la gente de la que otros huían, la gente que muchos vecinos consideraban indeseable, era pana, era amable y de fiar. A las pruebas me remito: una madrugada caminando de vuelta al apartamento, Cael se desvió sin previo aviso y se detuvo en una de las esquinas oscuras del nivel Lecuna a hablar con tres tipos. Para no quedarme sola en la mitad del pasillo me acerqué. Uno estaba de pie y recostado de la pared de mosaicos, me llamó la atención lo lindos que tenía los dientes. Los otros dos estaban sentados o mejor dicho casi acostados en el piso de granito. A ellos no les vi nada, ni los dientes, ni nada. Extendiendo su mano para tomar la mía y terminar de acercarme con un jaloncito, buscando que los tipos me observaran bien y casi haciéndome tropezar y caer sobre los recién conocidos, Cael dijo señalando con la cabeza ladeada hacia mí:

—Ésta. Ésta es mi novia. Pilas ahí. Si la ven sola. Es mi novia. Me la cuidan.

Yo:

—Mucho gusto.

—Mucho gusto, princesa —respondió uno de ellos alargando una mano que me apresuré torpemente a tomar. Atrás los otros dijeron:

—Sí va.

Entonces mirándome solemnemente Cael agregó:

—Y tú. Si necesitas ayuda ya sabes. Éstos son panas.

Primera y última noche que vi a esos carajos. Eso sí: Cael aseguraba que de vez en cuando me seguían para cuidarme. Aunque esto no me consta, ha de ser cierto.

—Bróder, pilas con la jevita, que no le vamos a durar toda la vida y Parque Central es un monstruo. No podemos estar en todos lados. Nosotros no somos Dios.

Eso asegura Cael que le dijo el de los dientes bonitos una madrugada.

Hoy en día googleas Parque Central Caracas, un mega zoom out, y lo primero en aparecer tras la entrada de Wikipedia en su fucking estilo Wikipedia, son páginas como ésta, de Trip Advisor: "El parque del terror: cuando era niña amaba visitar el museo de los niños, ahora le temo. Está invadido por rateros, mendigos, criminales y prostitutas. Las áreas públicas están descuidadas, los ascensores parecen de la casa del terror. 0% recomendado para turistas." O ésta: "No vaya a Parque Central. No vaya. Es muy peligroso. Asesinatos a toda hora y extremadamente riesgoso después de las 4 pm". La realidad es esta: el complejo que hoy recomiendan solo visitar en auto y de pasada aún reúne los rascacielos más altos de Latinoamérica. Doscientos veinticinco metros de altura disminuidos pero más elocuentes que cualquier análisis sociopolítico del devenir del país. *Zoom out.*

Lo diré así: nosotros no teníamos manera de saber que ocurriría lo que ocurrió, que todo, sus corredores tanto como la vida en la ciudad se volverían más oscuros y difíciles, y que el presente se nos haría extraño, para qué hablar siquiera del futuro imposible; pero sí estábamos al tanto de que cuando entrábamos a aquella ducha receptáculo blanco, nos acariciábamos encapsulados en la caricatura de un devenir imposible formulado unos veinte años atrás. Nos hacíamos el amor de pie, yo de espaldas, cómo más. Dos peces pájaro contenidos en la metamorfosis de Escher.

Cosas que recuerdo: lavarnos el cabello, lo que se dice lavarnos el cabello, lo hacíamos poco. Nos metíamos bajo el agua pero lo tocábamos lo menos posible, no lo peinábamos jamás. Cultivábamos unos dreadlocks a medias, unos tirabuzones rectos como tubos verticales hasta un poco más abajo del mentón. Bañarnos, sí. Cael más de una vez al día. Principalmente después de los ensayos y de los conciertos con o sin La Máquina. Tocar percusión con vigas de acero en superficies de metal es alto training, le salían ampollas en las manos y se le explotaban los músculos. Sudaba como un loco. Si le lamías la espalda, sabía a pura sal.

—Cael, hoy sudaste como un loco. Sabes a pura sal.

Otra cosa: la bebida de rigor era el *Bullshot*. Una lata de caldo de res, una botella pequeña de Smirnoff. Un poco de picante. Algo de salsa inglesa. ¿Limón? No estoy al tanto de los detalles, pero diré esto: le quedaban excelentes.

—Un *Bullshot* antes de salir y listo, Clea, nada mejor para la energía.

A mí me gustaban mucho también los *Bloody Mary*. Él aseguraba que se preparaban del mismo modo. Esto explica que le quedaran igual de bien.

La droga de rigor: cualquiera.

Ahora. Lo más importante. Quiénes éramos. Éramos La Santísima Trinidad. Porque no he mencionado que también estaba Alberto. En la banda con y sin La Máquina también estaba Alberto, el bajista. Cael era el guitarrista. Yo a veces cantaba aunque no tengo buena voz. Pero eso no importa, Clea, aseguraban ellos. Eso no es relevante, Clea. Tienes full potencia. Eres pura cabilla.

Volviendo al punto, Cael, Alberto y yo éramos la Santísima Trinidad. Lo descubrimos así: una tarde ambos tomaban sendas botellas de jarabe para la tos sin estar enfermos de la garganta y como si fueran sodas, mientras enrollaban los cables en la salita de ensayos. Yo estaba sentada en el piso aprendiéndome la guitarra de *This one goes out to*, de REM. Un proyecto que no voló, como ya he mencionado lo que hago tan bien como puedo, deseosa aunque con resultados precarios, es cantar. En eso Alberto dijo:

–Coño, qué fino, Clea –algo así. Como queriendo decir: te felicito.

Fue entonces que solté la guitarra y me acerqué y enlacé sus piernas en un abrazo. No sé. Eso hice y no sé por qué. Una pierna de cada uno rodeada por mis brazos haciendo de anillo. Entonces Alberto, dirigiendo la vista en contrapicado hacia mí, dijo:

–Verga, pana, qué arrecho. Somos la Santísima Trinidad.

Lo dijo con ternura, los tres hubiésemos querido que alguien tomara una foto. No hubo quien. Los miré desde abajo. Un flashazo mental. La Santísima Trinidad. Una piedad invertida. Yo esto no lo olvido.

Otra cosa que viene al caso y recuerdo: Alberto tenía una bolsa de basura llena de jarabes para la tos escondida en su clóset. No sé de dónde los sacaba, quién le vendía aquello. Cael y yo reuníamos y los comprábamos en la farmacia. La clave, llegar con expresión gripal y decir lo más educadamente posible:

–¿Me da un Robitussin AC?

Decir AC era importante, sin codeína no hace efecto. Nos tomábamos el frasco de una. Glú, glú. De una. En pocos minutos los ojos se volvían de cristal, daba mucha sed, se dormía la garganta. La bebida ideal para el viaje: la Coca-Cola. La compañera perfecta: una caja de cigarrillos Belmont. Con el jarabe se dormía todo, podías fumarte la planta de procesamiento de cigarrillos en una noche y no te enterabas. Se dormía todo, pero tú no, tú permanecías despierta. Los sonidos se volvían brillantes mientras lo demás se hacía borroso. La música perfecta para aquellas tardes nebulosas: *Cocteau Twins*.

Algo más. Cael llegaba de visita a mi casa a horas extrañas. Doce de la noche. Dos de la mañana. A veces yo le dejaba la llave en la puerta, bajo la maceta de la planta de sábila, por ejemplo, junto a la ventana que daba a la sala. Yo no lo esperaba despierta, yo lo escuchaba llegar, abrir la reja. Los pasos casi arrastrados de sus botas militares. La mochila posada con desgano en el suelo de la habitación. Lo oigo entrar, cerrar la puerta, desvestirse y ahora lo siento bajo mis sábanas. Yo tengo dieciocho años y mi madre ha sido flexible, confía en mí, me entiende, o tal vez es muy cómoda. Quiere a Cael, eso es seguro. De vez en cuando dice:

–Ya está bueno. ¿Desde cuándo Cael no duerme en su cama?

–No sé –respondo–. ¿Cinco días?

Ella dice:

–Como siete. Ocho. Su mamá lo debe extrañar.

–A ella no le importa –respondo con conocimiento de causa. Y debo añadir que la mamá de Cael adora a Cael, y casi tanto me quiere a mí. Es flexible. Confía en nosotros. Nos entiende.

Cael dormía en mi casa hasta que mi mamá le decía:

–Cael, ya es suficiente. Llama a tu mamá. Vete a tu casa.

Nosotros dos nos despedíamos frustrados pero sin rechistar, porque nosotros éramos quienes éramos pero también teníamos mamás, y eso, en su casa como en la mía, se respetaba. Especialmente si no había alternativa, como era el caso. Entonces contábamos las horas, veinticuatro, treinta y seis.

–Ya han pasado tres días, Clea. ¿Voy?

Y otra vez: bajo la planta de sábila. A un lado, en la ventana. Los pasos arrastrados, la puerta de mi cuarto cerrándose. Algunas noches yo veía la hora y le decía, o mejor dicho le decía al techo:

–Te pasas, Cael. Son las cuatro.

Me daba media vuelta y estaba cansada de esperar sin esperar y también medio molesta. Te pasas, Cael. ¿Las cuatro? Te pasas.

Algo importante: tres veces estuve cerca de la muerte. No quiero decir con esto que estuve a punto de morir, pero me rozó. Me respiró al oído. La muerte es una mierda. Aunque no venga a buscarte te hace saber que está. Pilas ahí, Clea, me dijo la muy maldita.

La única que contaré de aquellas tres veces será esta. Estábamos en Pigmalión, que era como decir entrar a Twin Peaks. Una discoteca sesentosa, un local de viejos, típico lugar a media luz al que el jefe venido a menos lleva a la secretaria, alfombra de color indeterminado, muebles de terciopelo vino tinto con patas de madera labrada, unos cubículos que llamábamos "privados", protegidos por pesadas cortinas, y un bar oscuro con luces amarillentas tras las botellas de colores. Esto es todo lo que sé: estábamos en Pigmalión, que los jueves era otra cosa. Se lo alquilaban al manager de Dermis, y él organizaba fiestas llamadas, claro: Jueves de Pigmalión. Esa noche tocábamos nosotros. Técnicamente, ellos.

Un chico muy joven, tendría dieciocho años como mucho aunque tal vez era menor, se nos acercó. Habrá entrado pagándole al portero, o con la cédula de alguien más, quién sabe. El pana se nos plantó enfrente y le dijo a Cael:

—Vine a verte.

Que había ido especialmente a verlo tocar. Estaba muy emocionado, era su primera vez en el sitio. Dijo que era guitarrista. Que tenía una banda grunge. Dijo que Cael era el mejor, que era un iluminado. Eso dijo y yo pensé: es un niño, un poco exagerado pero tiene razón.

Hay que entender algo. Cael entraba directo a cualquier lado. Conocía a todo el mundo. Así como en parque Central, en el barrio, en el Country Club y en cualquier local de Las Mercedes. Un ¿qué más pana?, otro ¡epa!, ¿cómo está la vaina?, y listo. Yo al principio me quedaba afuera, tras la baranda y los gorilas de negro. Antes de perderse tras la entrada y quién sabe hasta cuándo, Cael volteaba y me hacía una seña. La de siempre: una mano y las cejas en alto como diciendo ya vengo, ya te paso, y que quería decir eso: ya vengo, ya te paso. La duración de la espera: variable. Dependía de cuántas personas se encontrara entre el momento y el lugar del gesto, y el momento y el lugar en el que diera con el *manager*, con el amigo del portero, con el cantante de la banda de la noche. Cada dos pasos alguien lo detenía, una palmada en la espalda, un abrazo. Una de las veces que entré tras él vi cómo Laura lo jalaba hacia una esquina y le estampaba un beso con lengua. Le di dos golpecitos con el índice en un hombro. Él volteó. Me miró con los ojos muy abiertos y subió los hombros tipo: ¿qué quieres que haga? Yo lo miré con cara de: ¿cómo que qué quieres que haga? Sácatela de encima, huevón. Y pasé de largo. Me encontré con Emiliano en la entrada de uno de los privados y me metí con él. Lo que ocurrió en ese momento o no ocurrió en ese momento, no lo contaré acá. No habrá *zoom in*. No viene al caso.

Así que al principio yo esperaba afuera, en la calle. Coño, Cael, apúrate. Pero más adelante no necesitaba favores, llegué a conocer a todo el mundo y me dejaban pasar. Ahora era yo quien se detenía cada metro y medio a lo largo de aquellos corredores oscuros a saludar. Epa, Clea, ¿qué más? Ahora era yo quien se perdía durante minutos para volver a aparecer con los ojos brillantes, un trago en la mano, algún desconocido como compañero de baile. Pero esa es otra historia.

Aquella noche, ese Jueves de Pigmalión, la noche de la muerte que contaré, escuché que en la discoteca había caballo. Conmoción. Luego escuché decir que no, que ya no había. Debo advertir lo siguiente: Cael no tenía permiso de metérselo por la vena. Lo que sí tenía permitido: mojar con saliva por fuera el papel del cigarrillo, apenas una lamida, y empanizar un poco el tabaco antes de fumarlo. Lo dicho: por la vena, no. Terminantemente prohibido. El caso es que durante la fiesta escuché decir que había caballo. Y luego que no había. Y que horas más tarde alguien me gritó en al oído entre el bullicio, la música, el humo tan denso, que a un chico le había dado una sobredosis. Que sus amigos se lo habían llevado a rastras a su casa. ¿A su casa?, me pregunté yo. ¿Pero quiénes?, ¿qué amigos?, me pregunté también. Porque Caracas es así, y Pigmalión era así: ahí todo el mundo se conocía. La rumba se diluyó, nadie me supo decir, y yo lo dejé de ese tamaño. Lo borré: porque todo puedes borrarlo. Diré que hay muchas maneras de hacer *zoom out*. Nos fuimos caminando a la nave nodriza.

Al día siguiente nos despertó el teléfono.

Era Alberto. Como siempre, ofreciendo noticias que nadie había pedido. Resulta que el chamo de la sobredosis era el chico que dijo haber ido especialmente a ver a Cael tocar. Se metió en el baño, se inyectó la heroína. Se sintió mal. Los amigos lo encontraron, lo cargaron, lo subieron a un automóvil y cuando vieron que no mejoraba, decidieron dejarlo en la puerta de su casa. Tocaron el timbre y arrancaron. La mamá lo encontró al día siguiente metido en su auto. Aparentemente le dio frío y se metió en el automóvil de su mamá, y ya más nunca estuvo caliente. Desconozco cómo estoy al tanto de estos detalles. Cómo puedo estar al tanto de esto. No lo sé.

—Hay que estar pilas con el caballo —le dije a Cael esa mañana cuando colgó el teléfono—. Pilas. El caballo encandila y luego lo que queda es *blackout*. Hay que estar pilas. Todo en esta vaina es un flash.

Enero es el mes más largo

Comenzaré apuntando tres cosas. La primera: si alguien busca *playlists* de despecho en Spotify, encontrará listas. No importa si no conoce ninguna de las canciones de aquella selección. Si está despechado, que elija una y le dé *play*. Sirve. Lo certifico. Te hace sentir mejor, es decir peor, que es lo que dadas las circunstancias se requiere. Escucharlas genera satisfacción. Una canción de ruptura no te dice que lo superarás, te dice que sufrirás para siempre. Y eso es lo que necesitas en estos momentos: hundirte en un pesimista océano melómano. El problema es que a mí llorar me duele en las costillas. Pero ese es otro asunto.

La segunda cosa: enero es el mes más largo. No el más triste. El más largo. Y como suele ocurrir con las relaciones que se extienden más de lo recomendable, es opresivo, viscoso, imposible de prever. Enero es infinito y no lo digo yo, la idea flota en el ambiente. Veamos. Asomado a la terraza con su taza de café negro en la mano y contemplando el cielo, Jose dijo el otro día suspirando:

–Enero, con sus mañanas azules y frescas, y sus sesenta días de setenta y dos horas cada uno.

Dio un trago a su café, suspiró de nuevo, y mirando al suelo regresó a la sala. Esto no lo vi, me lo contó él mismo. Dijo:

—Esta mañana lo descubrí. Es por esto que no puedo dormir. Es interminable.

Lo imagino a la perfección. Asomado al mundo, al mes espeso, con su taza en la mano. Esperando del contenido de aquella taza una invitación que no llegará. Destilando aquella nostalgia a destiempo, rumiando un pesar que solo otra persona insomne puede comprender.

Por su parte, Ana María opinó haciendo referencia a aquella película sobre un día que inexplicablemente no finaliza nunca, que enero es un *groundhog month*. Yo recordé al escuchar su comentario en cambio "El ángel exterminador". Me propongo volver a verla, especialmente ahora, que no puedo o no quiero salir a la calle. De esa película solo recuerdo la cena interminable, la gente despidiéndose una y otra vez sin irse al fin. La llamaré la cena del eterno retorno, esto le gustaría a Ruy y habría que preguntarle, ya que hace poco salió del clóset como escritor esotérico, si siente que hay explicación para este mes exterminador. Gianni, por motivos distintos, publicó en Facebook:

—No acaba nunca. La última vez que me pagaron fue el quince de diciembre. Enero es interminable.

En fin.

La tercera cosa: volviendo a las listas de Spotify. En algún momento, dependiendo de la gravedad del despecho, posiblemente se requiera una dosis más seria, una selección musical más especializada. Ahí es cuando se hace necesario arremangarse la blusa, y ponerse a trabajar. Para sufrir bien hay que ponerle ganas. En mi caso son clave Maelo, Juan Gabriel, la gran Fiona Apple, Amy Winehouse, el Trío Los Panchos, Nick Cave, David Gray, Vasco

Rossi, Daughter, Dinah Washington, Marc Anthony, Johny Cash y Julieta Venegas. Que nadie me juzgue. Mi *playlist* es ecléctico, puede decirse que mi sufrimiento es versátil. Solo diré que dadas las necesidades particulares a la hora de padecer, puede resultar recomendable buscar las canciones y construirse el *playlist*. Hay clásicos: "*Cry me a river*", por ejemplo. Hay sorpresas, pongamos "La estaca", la Echeverri en el video ante el micrófono con su peluca roja fosforescente y su corona de princesa punk: "Adiós, que te vaya bien, que te coja un carro, que te parta un rayo, que te espiche un tren. Adiós, que te vaya bien, que te muerda un perro, que te lleve el diablo y marques calavera". Grande, Echeverri. Cuando en el video dice "marques calavera" la cantante se traza imaginariamente un corte en el cuello, dibuja con el dedo índice una línea invisible de extremo a extremo. Hay canciones que no tienen precio. Dígame Julieta Venegas: "Qué lástima, pero adiós". O Johnny Cash: "*I hurt myself today, to see if I still feel. I focus on the pain, the only thing that's real*". Puesta a ver, esta es la matrona de las canciones de despecho. Lo dicho: hay canciones que no tienen precio.

Una cosa más. Técnicamente la cuarta, y es todo por ahora: no se enyesa una costilla rota, se deja sanar sola, pide tiempo. Mientras la recuperación ocurre, tal como adelanté arriba, no es posible llorar (ni reírse, si alguien quisiera reírse), y salir a la calle nevada (si tales son las condiciones climáticas, que en este caso lo son), es un estrés (¿y si me resbalo y me caigo de nuevo?). Cuando hay dolor, pensar en el aumento del dolor lo vuelve insoportable. Para esta clase de circunstancias un mes nevado y eterno resulta útil. Para sanar costillas rotas, que no requiere yeso, pero toma su tiempo.

Eso es todo.

Nos habíamos dejado dos días atrás. Las vacaciones habían llegado a su fin, aunque realmente viajábamos para despedirnos, para reorganizar nuestras cosas, para comprobar que no teníamos ya nada en común e inventariar todas las razones por las que no valía la pena estar juntos. El plan: mudarse cada quien a su apartamento nuevo al regresar del viaje. No más entrar a la ciudad, decirnos *au revoir*, qué lástima pero adiós, y cada quien mudarse a un lugar distinto. Yo a Brooklyn, él al Lower East Side. Obvio, también habíamos elegido los apartamentos antes de viajar y mudado nuestras cosas, y yo había incluso estacionado mi auto frente al edificio que comenzaría a llamar mío. Mi edificio. Es increíble. Pero somos así. Somos metódicos y de ser posible, evitamos sufrir. A más orden y planificación, menores los afectos y el padecimiento. Eso nos dijimos. Ahora yo pienso: como una costilla rota. Respiras suavemente, de incógnito, con levedad, para evitar el dolor. Agregaré que nuestras casas quedaban cerca. A un río, el East (River) para más señas, de por medio. Exagero: la proximidad no era tal. Las personas con corazones rotos a los que se le suman costillas rotas en meses nevados interminables somos exageradas. Todo es culpa del dolor, y yo, que no puedo tomar analgésicos porque me desmayo, he de sufrir. Padezco de una condición alérgica que me obliga a padecer, así de sencillo. Diré que usábamos la misma línea de tren, la B. Diré que las ventanas de nuestros apartamentos se miraban entre sí. A kilómetros de distancia.

He estado pensando que vivir con la misma persona por largo tiempo es integrar un mismo sistema y tiene consecuencias fisiológicas muy claras. Hablo de detalles concretos: a partir del sexto mes alimentándose de lo mismo, o haciendo la misma cantidad de ejercicio, o viendo las mismas películas, durmiendo las mismas horas, o padeciendo las mismas condiciones climáticas, las células de ambas partes comienzan a parecerse. Ambas personas terminan unificándose. Pongamos el agua a ambos lados de un río. Digamos del East River. Es la misma. Cuando a él le dolía la cabeza, la cabeza me dolía a mí.

No sé dónde intento llegar con todo esto.

Nos despedimos el 31 de diciembre. Porque somos así. Donde sea que él esté: yo sé que no ha cambiado. Lo que no supimos aquel diciembre que parece ocurrió hace tres vidas es que la idea era mala, que un año no ha de iniciarse así, nunca. Menos aún un año 2020. Dos cero dos cero. ¿Se entiende? No sé bien qué quiero decir, pero ese número contiene una respuesta. Dos apartamentos, división milimétrica de las pertenencias comunes. Dos cero dos cero. Dos personas que no se quieren más o no estarán más nunca juntas. Dos cero dos cero. Hay algo allí.

Tal como mencioné, las cosas las habíamos dividido milimétricamente y ubicado en los respectivos lugares de destino. Llegamos al aeropuerto. Tomamos el tren. Llegamos a la estación del metro. Ya que usaríamos la misma línea (se sabe: la B), esperamos juntos. Una vez el tren se aproximó al andén, él se apartó y me dejó subir. Y es que entrar los dos al mismo vagón, viajar juntos y en silencio mirando quién sabe hacia dónde durante el trayecto interminable, quizá hablar sobre, claro, el clima, para luego respirar el silencio común y enfocar de nuevo la atención visual cada quien hacia un lugar distinto; esperar ansiosos la primera estación pertinente, pertinente para nosotros, que ya teníamos pocas cosas pertinentes en común (la suya, su estación es anterior a la mía en dirección *South West*), todo esto previendo que las puertas permanecerían abiertas apenas segundos, que cerrarían tan pronto, y así despedirnos apresurados; en pocas palabras: dejarme allí en el tren de pie sobre el piso de melanina, mirando la oclusión del pasado mientras el pasado abría espacio para sí en otra dirección y se perdía en el andén dándome la espalda, no parecía adecuado. Y como espero haya quedado claro: él es adecuado y elegante. Así que, elegantemente, aquella tarde en cuanto el vagón de nuestra línea de metro se aproximó y con su timbrecito abrió las puertas, él hizo una reverencia como diciendo: por favor, tú primero, y dijo plantado en el andén:

—Por favor. Tú primero.

Eso fue todo. Lo de la reverencia puede que lo esté inventando, soy un poco cursi, eso ya lo mencioné, pero se entiende la idea. Nos despedimos. Ahí quedó mi ex en el andén. Yo intenté mirar por la ventana, adherí la mejilla al vidrio para asegurarme. Que no subiera al mismo tren. No lo hizo. No sé si me alegré. El contacto del rostro con la superficie fría y sucia de la ventana se me hizo muy desagradable.

Cuando llegué a mi nueva estación, me dije: Al fin. Llegaste. Esta es la tuya. Subí las escaleras hacia la calle y caminé hasta el edificio. Entré. Abrí la puerta de mi casa equipada apenas entonces con un sofá y una cama (a él le tocó el sofá-cama: no me importa, aseguró) y con cinco cajas. Tres cajas en una torre, dos en otra, que a los lados decían con su caligrafía, la de él, en marcador verde: Cocina. Libros I. Invierno, y: Libros II. Adornos.

Me senté en el suelo que es donde me gusta sentarme cuando tengo que pensar.

Con que estas tenemos, me dije. Pronuncié en voz alta:

—Con que estas tenemos.

Nadie respondió. No había eco.

De la caja que decía "Cocina" tomé una botella, una copa y un descorchador de vino que había dejado a mano. Qué hacer. A estas alturas debe estar claro que yo soy así, precavida. Abrí la botella y me serví. Me puse a pensar en algo mientras revisaba los mensajes de texto en mi teléfono. Que no había, obvio. Nada. Cero. Fue con el celular en la mano que decidí lo de Spotify. Mientas abría la aplicación pensé: ¿Qué haces, Clemen? Me dije:

–Clemen, qué boluda eres. Qué toche. Eres el colmo.

Me dije:

–Te vas a sentir peor.

En Listas tipié *Break Up Songs*, y a la primera de las múltiples opciones le di *play*. Afuera nevaba. Pronto empezó a llover: una tormenta repentina. Eso es raro para el mes de enero. Pero no imposible. ¿Por qué lo sé? Porque nada es imposible. Me di cuenta que faltaba una caja, la que decía Fotos/Documentos. Tomé las llaves sobre la mesa del comedor, me asomé a la ventana viéndolo todo blanco y empichacado, y sin pronunciar palabra (esta vez decidí no hablarme para no escuchar el silencio responder, o lo que es lo mismo aunque parezca contradictorio: para irme acostumbrando al silencio), salí del apartamento en dirección a mi auto invisible, cubierto de nieve.

Tomé el ascensor.

Fue así: voy por la caja Fotos/Documentos que contiene eso, fotos y algunos documentos de la universidad junto a cosas inservibles que no me atreví a desechar al momento de su embalaje, y algunas cámaras fotográficas antiguas de mi padre. Tenía cien. Cien cámaras antiguas con las que se proponía tomar cien fotografías durante cien días seguidos. Por proyectos así vale la pena estar vivo y sin embargo él murió antes de terminarlo. Cosas que piensas.

Voy así, reflexionando sobre esto, mientras camino hacia el auto estacionado en mi nueva calle brooklyniana. Es bueno ver quién has sido a través de los objetos, pienso en tanto. Es fácil ver quién has sido a través de lo que has dejado atrás pero no abandonas. Algo así me digo mientras me dirijo al auto. Voy con la linterna del teléfono en la mano. Voy con la linterna del teléfono, sí, pero la luz no basta cuando el hielo está mojado y se vuelve un patín. Una linterna no es un seguro de vida. Doy un paso en falso, y listo. Eso es todo. Aterrizo en el parachoques trasero de un SUV estacionado justo ahí, frente al edificio. En la bola de remolque del parachoques, para ser más precisa. Aterrizo justo allí, de costillas. Me quedo sin aire, sin voz. Pasan varios minutos o el tiempo necesario para que el agua se cuele hasta mi ropa interior, y finalmente, cuando entiendo que nadie vendrá, decido intentar ponerme de pie y caminar sola hasta mi nuevo apartamento. Subir las escaleras es doloroso y al toser cuando llego arriba casi me desmayo.

Di ahora al celular su uso tradicional:

—Hola. Me caí.

—¿Cómo?

—Que me caí. ¿Dónde estás?

—Con unos amigos.

Escucho risas que no identifico (¿amigos?). Una canción que no reconozco.

–Creo que me rompí las costillas.

–Dios mío, Clemen. No te muevas. Voy para allá.

Así fue que volvimos a vernos antes de lo planeado (que no. No teníamos ningún plan de vernos de nuevo, obvio: si no para qué tanta organización). Llegó en media hora. Me tuvo que cambiar la camisa. No supe si sentir vergüenza. No sé qué sentí. También me cambió los pantalones y la ropa interior. Todo. No sé qué sentí. Dolor. Nos fuimos al hospital.

Escuchando mi *playlist* me digo que tal vez en el fondo estaba equivocada, tal vez nadie nunca se quiere sentir mal. Y con todo y eso, cada vez que paso frente al lugar de la caída, pienso que ahí estaba el SUV estacionado con su bola de metal trituradora la última vez que vi a mi ex, mi primera noche sola. Allí. En la mitad de la cuadra justo frente al edificio y junto a este árbol. Cuando subo a la B lo busco a la izquierda y a la derecha en el vagón y en el andén y recuerdo aquella tarde, la sensación de mi mejilla pegada al vidrio frío y probablemente sucio quién sabe desde cuándo. Al caminar por Union Square recuerdo la tarde en la que decidimos separarnos, antes del viaje, antes del regreso, antes de la despedida en el andén, antes de las costillas rotas. Nos dijimos adiós en un banquito. Los Hare Krisnas bailaban y vendían su incienso y repartían sus tarjetitas como siempre, y por primera vez se me hicieron escandalosos, su alegría muy molesta. Tomamos la decisión frente a Whole Foods. Nos dijimos que podíamos empezar a ver a otra gente, lo cual es absurdo, porque nosotros no somos la clase de persona que ve a otra gente y al proponernos esto lo que estábamos expresando realmente era *De todas maneras rosas*.

Yo me digo: todo esto es un cliché, es lo más común, desde que el mundo es mundo las personas han abandonado a sus amores, han sufrido, la vida no es más que un encadenamiento interminable de sufrimientos y corazones –y con toda seguridad costillas– rotos. Es más, para que llegaras acá, Clemen, me digo, mucha gente ha debido abandonar a sus novios y sus novias. Eres el fruto de rupturas de noviazgos improductivos, aburridos, equivocados, violentos, tristes o antipáticos, que un día terminaron para que las personas correctas y eso quién sabe por cuánto tiempo (es decir: qué es lo correcto y cuánto dura, me pregunto) se encontraran y se amaran y te hicieran venir. Eso me digo:

–Acá no está pasando nada nuevo. Toda la vida. Desde que el mundo es mundo. La gente se ha dejado, con excepción, quizás, de los que aún siguen juntos. Increíble.

Nadie responde.

Durante el mes interminable vi la nieve caer interminablemente. Los marcos de las ventanas cubriéndose de blanco hasta no dar más, los trozos helados de aquellas montañas minimalistas caer hacia la calle y volverse a acumular. Imagino escaladores miniatura trepando esas montañas, arriesgándose a la avalancha, y cuando esta ocurre porque todo lo triste ocurrirá siempre, colapsando en la acera, allá mismo, donde me caí, sí, donde estaba el SUV. *Qué lástima pero adiós*. Los marcos cubriéndose y desnudándose en *loop*. Mi dolor no desaparecía, y ya se sabe cómo es mi relación con el padecimiento y lo analgésico (problemática). No puedes darte el lujo de desmayarte en el baño o en el piso de la cocina por temor a sentir dolor cuando no tienes quien te rescate. Ni modo. Lo he entendido: soy la negación ambulante a la analgesia. Iba por mi apartamento como una estatua de hielo, sintiendo el pecho contraído, apenas respirando, temiendo la punzada melancólica si lo hacía. Nada parecía indicar mi restablecimiento. Los *playlists* elaborados por mí se me hicieron insuficientes tal como semanas atrás se me habían hecho insuficientes los genéricos. Decidí llevar todo aquello a un nuevo nivel. Quise ser una canción, el mecanismo misterioso de una bocina, convertirme en eso que alimentaba mi dolor. Crear las notas musicales que me punzaban el alma a través de las costillas que estaban supuestas a protegerme el corazón y me fallaron. Me dije: seré el dolor. Escribiré una canción patética. Porque habrá palabras difíciles de articular, pero todo lo puedes cantar. Me dije: todo se aprende. Ya que soy así, metódica entre otras cosas, me dije: es cuestión de instruirse. Comencé mi investigación. Di con un podcast de historias melancólicas que indicaba: escribes una canción de despecho diciendo las cosas más sencillas, no las más inteligentes. Debes empezar por imaginar algo honesto. Algo simple. Pensé: manos a la obra. Cerré los ojos. Imaginé una situación: mi ex regresaba con una ex novia, la que tuvo antes de mí. En este punto me detuve y pensé nuevamente en 2020. Dos cero dos cero. Hay una señal acá, me dije. Sí, pero no sé qué significa, me respondí. No hubo respuesta. Volví a la canción. Imaginé que mi ex decidía casarse con ella. Sentí el dolor al imaginarme sufrir y me dije: vas bien. Esto es real. Esto es honesto y sencillo. Me dolieron las costillas. Vas bien. El día de la boda ella estaba preciosa, esperándolo en el altar de una iglesia que quedaba nada más y nada menos que en Union Square. Con sus flores en la mano. Él entraba al lugar, ellos se miraban, y entonces él descubría su error, una mueca evidenciaba su arrepentimiento, corría de vuelta hacia la puerta de la iglesia y al salir a la calle encandilado y usando el dorso de la mano a manera de visera, me divisaba a lo lejos convenientemente sentada en un banquito de la plaza, cerca (pero no tanto) de los Hare Krisnas que cantaban y bailaban como locos pero al fin en *mute*. Técnicamente imaginé el videoclip. Al ver sus intenciones yo me ponía de pie, esperaba se aproximara, y allí le entregaba un iPhone con mi canción. Le daba la espalda, y me iba con tanta calma hacia las escaleras del *Subway*. A mi estación, a mi línea, a mi vagón. Al vagón que me pertenecía.

Visualicé a mi ex entonces sentado en ese mismo banquito por siempre, escuchando la canción del dolor, mi canción, la canción simple, honesta y no inteligente que yo era, la canción que aún no existía pero estaba por escribir y ya sintiendo, treinta años más tarde. Me dije que él no escucharía el *playlist* enseguida, que el dolor no le permitiría escucharlo en ese preciso momento, pero en muchos años sí. Y en esa nueva imagen no aparecía viejo; era más bien un joven desleído, una foto sepia en aquel banquito tomando valor para darle *play* al iPhone. Imaginé que la gente se reía de él por usar un teléfono obsoleto. Lo visualicé ignorándolos, escuchando mi canción una y otra vez, una y otra vez, dándole a las flechitas de *rewind*, y poniéndola en *loop* hasta que lágrimas saladísimas comenzaban a correr por sus mejillas. Lo vi aferrado a su celular arcaico sabiendo que no podría usar aquel aparato para nada más que no fuera escucharme en el pasado, sabiendo que en aquel pretérito imperfecto que le tocaba, ya no estaba yo.

El Triángulo de las Bermudas, o te voy a contar quién soy

Cuando llegué me dije: llegué. Ya estoy en Madison. Es más económico que Manhattan, apenas a cuarenta y cinco minutos de viaje en tren, y tengo a Josefina. Jose llevaba apenas dos años en el pueblo y se mudó entonces gracias a que su hija, casada con un mexicano, la pidió. Esperó durante años. Al final le salieron los papeles y un buen día, agradecida con mis padres pero sin pensarlo dos veces, se despidió en el umbral de la reja azul de mi casa, nos dio abrazos salados, y se vino a los Estados Unidos. Como dice ella:

—Eso fue darle un abrazo a Belén, conocer a Justino, dejar la maleta en la sala y salir a buscar. Para luego es tarde. Cuando eres inmigrante no hay trabajo malo.

Así mismo como se despidió, me recibió frente a la puerta de madera de su casa. Me ayudó a arrastrar mi maleta, y me ofreció un jugo de tamarindo.

—Este es el plan —me dijo. Y me contó.

Ella limpia casas y oficinas, pasea y cuida mascotas, riega plantas, ha lavado platos y servido mesas y ha hecho *catering* para eventos de la iglesia pentecostal del pueblo. Ahora mismo trabaja como costurera en una lavandería y mantiene cinco o seis clientes privados. Les resuelve la vida, dice. Me lo imagino perfectamente, y entiendo ahora que eso era lo que ella hacía con nosotros en casa: resolvernos la vida. Jose se ha mudado nueve veces en estos dos años. Ahora vive en una planta baja; en un anexo de una habitación, sala comedor y lavandero, con Eleazar, que trabaja como vendedor en una tienda de fotografía, y dice que escribe poesía. Esto último no me consta.

Al día siguiente de darme la bienvenida, ofreciéndome una taza de café y una arepa de queso, pero también ya poniéndose un impermeable y con la cartera en la mano, me dijo:

–Voy saliendo.

–¿Te vas? ¿Y el plan?

–Si me quedo se me hace tarde. Te va a venir a buscar Sebastián.

–¿Sebastián?

No había terminado de hacer la pregunta cuando un colombiano más o menos de mi edad, de unos veintipocos años, se apareció en la puerta. Su saludo fue:

–Vamos. Al Triángulo de las Bermudas.

Sin preguntar me atraganté el café, di dos mordiscos a la arepa, la envolví y la metí en el bolsillo (no tenía idea de cuándo volvería a comer) y me fui tras él. En seguida me di cuenta de que tenía muchas ganas de hacer pipí. No dije nada.

–Este pueblo tú lo ves muy gringo, Beatriz. Pero quienes hacemos que camine y lo mantenemos así, tan clásico, tan histórico –y esto lo dijo con ironía, dibujando dos comillas en el aire a la palabra histórico–, somos nosotros. Acá nunca vas a estar sola. Y éste –dijo al llegar a la avenida principal, delineando en el aire con el índice un triángulo invisible: tres vectores incongruentes para mí, pero a juzgar por la precisión con las que los marcaba dibujando la nada, topos muy reales–, este es El Triángulo de las Bermudas. Llegamos.

Nos sentamos en un banquito.

–Theresa es un poco rara. Pero es buena gente. Creo que le vas a gustar.

Pronto supe que Theresa, como mi abuela pero con hache, es muy generosa con los inmigrantes. No sé qué la mueve, pero se toma nuestro destino muy a pecho. ¿Quiénes somos nosotros?, ¿cuál es nuestro destino y cómo es que hay uno compartido? Esas son las preguntas que te haces cuando no eres inmigrante. La respuesta la encuentras muy pronto cuando lo eres. Yo tengo más en común con los colombianos o mexicanos recién llegados y sin documentos, el miedo, este continuo buscar trabajo, el rebusque, el dinero que alcanza pero de broma, el queso blanco y el aguacate, el cilantro y el ají, y The Gin Mill, por decir algo, que con otras personas. No importa si esas otras personas son de tu mismo país. Si son legales y tienen trabajo fijo, son de otra raza. Qué de otra raza, son de otro planeta. Jose no, y Theresa tampoco. Y Sebastián, tampoco. Ellos son clase aparte. Son de los míos. Así le digo yo a mis papás cuando hablamos por teléfono: ellos son de los míos.

El Triángulo de las Bermudas. Nuestro lugar. A un lado (e) Studio Yoga, al otro la tienda de fotografía "de Ezequiel", al otro la lavandería "de Jose". A cada lado de la calle, dos banquitos.

–El de la izquierda me pertenece –dijo Sebastián apuntando hacia el asiento de la izquierda–. Pero está a la orden.

Pensé que la cosa se estaba poniendo rara, e interesante. También pensé que nada tenía verdadera importancia.

El (e)Studio Yoga es pequeño, está en un edificio histórico de cuatro pisos sin ascensor, de los cuales los tres primeros están destinados a oficinas. En el largo pasillo del tercer piso hay un consultorio de acupuntura, el bufete privado de una abogada, dos puertas que no sé qué ocultan, y la escuela. En la entrada, unos cajones para guardar zapatos con dos notas escritas en una fuente que imita el sánscrito, pero en inglés, claro: *Right past this line, there's nowhere else to go but in.* La primera vez que me asomé me entraron unas ganas incontrolables de entrar, sí, pero a bailar salsa. ¡Es enorme! Al otro extremo del corredor están la recepción, la oficina de Theresa, y una pequeña tienda de ropa e implementos de yoga: colchonetas de grosor variado y distintos colores, bloques de madera y de goma espuma, cobijas de lana, cinturones de tela. Cuando me asomé, en quien pensé fue en Julia:

–¿No se supone que el yoga libera? Esto parece tortura. Muy sospechoso.

–Qué se yo –le respondía yo. Menos mal que a nosotras lo que nos gusta es bailar.

Ya no me reconozco en esos recuerdos. Y no porque haya cambiado de opinión o me convirtiera en yogini, nada que ver, sino porque cuando te vas de tu país sin un plan cierto, todas las ideas sobre quién eres y qué estarías dispuesta a hacer, cambian. Te aseguras de perder relevancia para poder existir.

Además de la dueña, en el (e)Studio Yoga trabajan Leila, una brasilera que también es profesora y con quien no hablo. No sé por qué. Y claro, Sebastián, ahijado de Jose, como supe después, y encargado de recibir, procesar, empaquetar y enviar las compras online. La verdad es que Sebastián tiene todos los trabajos: mover de lugar el auto de Theresa antes de que el estacionamiento caduque, lavarlo y ponerle gasolina; hacer depósitos en el banco (él se casó así que está legal, tiene documentos), pintar paredes, cambiar bombillos, ir al supermercado y claro, buscar almuerzos para la oficina.

—Cualquier amiga de Josefina es amiga de esta escuela. Ahora todo depende de ti —me dijo Theresa en un tono promisorio pero áspero. Ni que fuera el trabajo de mi vida, pensé, lo que necesito es ahorrar. No sabía si para llevarme el dinero de vuelta a Caracas, mudarme a New York, irme a Madrid. Lo único que tenía claro y eso no ha cambiado, era que no tenía plan. Plan A, B, C, me da igual. Lo mío es una sopa de letras, me dije, y hasta ahí llegó el asunto pues en el momento Theresa decía:

—Tienes cinco trabajos: uno, encargarte de ordenar la tienda. Dos, limpiar y ordenar el salón de yoga. Tres, coser las almohaditas de linaza para los ojos y los sacos grandes de arena (dos días a la semana). Y cuatro, ayudar a Sebastián en lo que necesite.

Con la sonrisa congelada y la mente en blanco dije:

—Okay.

Sebastián preguntó:

—¿Y el quinto?

—Ese lo vemos después —le respondió Theresa—. Ya veremos —dijo mirándome con cara de ¿qué esperas pues? aunque lo que dijo fue:

—No hay tiempo qué perder.

—Pero yo no sé coser.

Durante los primeros cuatro meses vivía en la sala de la caja de zapatos de Jose y su esposo. Mi espacio privado: la cama tras un biombo que la separaba del resto de la casa, y tres gavetas libres del mueble. Lo que no cabía allí, lo tenía o bien guardado en mi equipaje bajo la cama, o en una caja plástica en el sótano, donde estaba el lavandero y dormía Ezequiel y a veces Jose también. ¿Cómo es eso? Ni idea. Yo no pregunto si no quiero que me expliquen.

Cada domingo ella preparaba una olla enorme de frijoles, otra de arroz, una de sopa de verduras. Aparte de trabajar, yo no hacía mucho. Perder tiempo. Acompañar a Sebas a hacer sus diligencias. Usualmente en esas vueltas íbamos callados. A veces compartíamos un tabaco. A veces. Casi siempre escuchamos *hard rock*, que es lo que le gusta a él, o salsa. Una noche de esas, después de ir a Target a comprar un ventilador, nos sentamos en su banquito de El Triángulo de las Bermudas y él comenzó a hacerme cariños en el muslo. Bajo la falda.

—¿Qué pasa, pues?

—¿No quieres? —preguntó.

—Bueno. Sí.

A partir de entonces en las tardes, después del trabajo o de pasear por ahí con él, me iba a su casa y ahí sí me sacaba el vestido, la falda y la camisa, o el pantalón y el suéter. Cuando llegó el invierno: el abrigo, los guantes, el sombrero, las medias de lana. Su casa era una habitación sin ventanas y sin calefacción, en el mismo edificio del (e)Studio Yoga. Si las oficinas a los lados no estaban alquiladas me dejaba las medias. Cuando estaban ocupadas, teníamos calefacción indirecta: el apartamento era un hornito.

Yo le decía:

—Tu casa parece uno de esos hornitos para las arepas.

—No —respondía él—. Es un hornito de bagels.

Si estaba por mi cuenta me sentaba en un banco del parque frente a la estación de tren y ahí me quedaba. Haciendo nada. Mirando las nubes o las ardillas pasar. Digamos que ese era el banquito que me pertenecía. El mío.

A veces iba a New York, y era como ir al Himalaya. Eso decía Sebas:

—Parece que vas a los Himalayas.

Me llevaba una mochila. Este es el asunto. Por ejemplo, en Venezuela uno diría "morral". Pero acá si dices "morral" nadie te entiende o te miran raro. Entonces dices "mochila" y todos felices mientras tú, misteriosamente, te vuelves una extraña de ti misma. Como "palomitas de maíz". No es fácil aceptarlo, el orgullo nacional toma formas insospechadas. Pero la verdad es que nadie más en el mundo dice "cotufas". Tienes que ser inmigrante para saber que algo que dabas por sentado, algo por lo que apostabas: las cotufas, por decir algo, no es viable. Palomitas. Llevaba un sánduche y una botella de agua, un suéter. Una muda de camisa. El cepillo de dientes. Todo en la mochila. Un mapa. Tomaba el tren de las 9 de la mañana y pasaba el día entero caminando, sólo me paraba para comer. ¿Qué hacía? Lo mismo que en Madison. Nada.

Pronto dejé de ir a la ciudad. Me pareció que ir sin plan no tenía gracia. Y ya lo dije: yo planes no tenía intenciones de hacer. Así que me quedaba en nuestro pueblo. Pasaba horas vagando en el supermercado bajo las miradas de sospecha de los empleados. Me quedaba ahí viendo las marcas de pan, por ejemplo. Mis papás en plena crisis del país no encontraban allá ni un pancito, y acá: trescientos tipos. Gluten free, integral, con semillas, de harina blanca, de dieta. Una cosa loca. ¿Yogures? tres millones de tipos.

De resto, me sentaba en mi banco, o me iba con Sebas, o me acostaba con Sebas. Sebastián tiene en las costillas del lado izquierdo un tatuaje en tinta negra que se llama *In Angel's Care*. Eso dice él, que es un ángel. Yo veo tres fantasmitas. Cuando se lo dije:

–Pero no parece un ángel, parecen tres fantasmitas.

Me respondió:

–Claro.

Ordenar la tienda es fácil. Los *mats* de yoga deben estar bien enrollados, cada artículo debe tener su etiqueta y su precio. Es necesario ordenar las pilas de ropa por tipo de prenda, modelo, talla y color. Cosas así. Cosas fáciles. Coser debe ser igual de sencillo, me dije en un arranque optimista el primer día. Las almohadas son rectangulares, pensé. Esto va a ser pan comido, que acá no se dice *an eaten bread* sino más bien un trozo de torta, *a piece of cake*.

¿Qué? La linaza de las famosas almohaditas para los ojos hay que meterla en el microondas para evitar que se la coman los animalitos una vez dentro del forro. Al calentarla lo suficiente huele a: palomitas de maíz. Si te pasas de cocción, huele a: palomitas de maíz chamuscadas.

Ya no se puede usar y la oficina termina apestando a aceite tostado. Hay que estar pilas. Coses el rectángulo con la tela al revés. Dejas un huequito abierto. La volteas muy pendiente de las esquinas. Usas un lápiz para empujar cada una. La rellenas de semillas a través de un embudo. Si te pasas de relleno, queda muy apretada. No se ajusta a las curvas de los ojos.

No es fácil.

Si el forro de la almohada es de seda, ay. Pobre de ti. Se resbala.

La seda se resbala.

La *fucking*

seda

se

resbala. Las mías eran casi siempre almohadas paralelepípedo. Esa, descubrimos pronto, era mi especialidad. Beatriz, la costurera de almohadas paralelepípedo. La costurera de almohaditas Picasso. Eso decía Sebas.

Vi el tránsito hacia el otoño desde mi banquito. Comenzaba prestando atención a los trenes en su ir y venir, los pasajeros apresurados montándose o bajándose de los vagones torpemente arrastrando o empujando sus maletas, regañando a sus hijos. Jalándolos por los brazos. Siempre pienso que les van a dislocar un hombro. De resto, las semanas se me iban en coser, ordenar la tienda, hacer diligencias, bailar y acostarme con Sebastián. Perfecto.

Un día Jose me preguntó si quería trabajar más, si me hacía falta dinero. Siempre hace falta dinero, le quise responder. Me contó su plan. Tú no decides un día cualquiera dedicarte a limpiar oficinas o coser almohaditas parelelepípedo en un estudio de yoga. No decides hacer ventas por teléfono. No es algo que planeas, sencillamente ocurre, como quedarte calva, como caerte por una escalera, un minuto estás en el descanso de la escalera arriba, y al minuto siguiente estás en el de abajo. No te acuerdas de todos los escalones que pasaste hasta aterrizar donde estás. Como doblarte un tobillo. Estás caminando tranquilamente y metes la pata y listo. Como prender el agua de la ducha y que no salga agua caliente. Se entiende la idea: para esas cosas no hay plan. Sencillamente ocurren. Como enamorarte o terminar sintiendo algo especial por un banquito igual a todos los banquitos de una avenida pero para ti único, está plantado en la mitad de la nada pero para ti integra el triángulo invisible que te define. No lo planeas. Ocurre. Sobre todo, como doblarte un tobillo. Se entiende la idea. No lo planeas.

—¿Te hace falta dinero, Bea? —preguntó Jose. Y listo. ¿Cómo decir que no? Cinco horas tres días a la semana vendiendo planes de internet. Nada complicado, lo haces desde casa y ganas algo de dinero extra. Eres tu propia jefa y lo haces todo a tu manera. Te dan una lista y tu trabajo es cubrirla. Llamar a todos los teléfonos. Algo así me dijo Jose. No hay trabajo malo, entendí yo.

Te dan un entrenamiento, claro, y un guión que puedes seguir al pie de la letra si no tienes vena de vendedora. Yo repetía aquello como una oración a San Cayetano, obvio. Cero improvisación. Pero la verdad es una sola: no hay training posible para setenta noes al día. Lo verdaderamente difícil de trabajar en *telemarketing* son los rechazos. Sin importar cuántos teléfonos marcas cada día, cincuenta, doscientos, un millón, sabes que el noventa y ocho por ciento de esas voces al otro lado quiere verte desaparecer, si pudiera te borraría, ignición espontánea.

Pssshhht. No más Beatriz. Por supuesto para tener éxito debes confiar en ti, es decir: debes ignorar esa certeza y manifestar esperanza, tal vez esta es la llamada del éxito, te dices, como para hipnotizarte. Y es como querer convencerte de que la gravedad no existe, como imaginar que lanzas la manzana al piso y no se golpea, sino que sale flotando como un globo. Para animarse también es útil imaginar que la persona al otro lado es un títere de tela. Un títere de esos que se hacen con medias. Te los imaginas tan tiernos sosteniendo el teléfono. ¿Cómo hará esta señora para hablar sosteniendo el teléfono en la boca? No puedes pensar que la persona al otro lado es una persona como tú, que tal vez tiene problemas, que tal vez está triste ese día en el que tú recitas tu cartilla sorda a todo lo demás. Según mi experiencia lo más efectivo es imaginarte el títere, la media y los ojitos plásticos adheridos con goma blanca, el auricular con dificultad sostenido, que no se resbale, cuidado con el auricular.

Si intentan colgarte el teléfono, cumples con tu papel de vendedora indeseada y llevas al cliente atrás, al guión, que no se despiste para así lograr decir todo lo que tienes que decir y de paso sí, le rezas a San Cayetano a ver si el *deal* se da. Te pones tus audífonos, te sientas frente a una computadora. Y listo, llamas como si de esa llamada dependiera la estabilidad del globo terráqueo. Cuando cuelgas la llamada, la computadora automáticamente llama a otra persona. Cero descanso. Cada día esperaba que llegara la inspiración, la iluminación. Sentir confianza en mí y en el resultado, en la razón de ser de aquel trabajo. Ninguno de estos mensajes divinos llegó.

—Hay algo *trashy* en todo esto —le decía a Sebas.

—Obvio —respondía.

Cuando la gente me preguntaba sobre mí, sobre mi trabajo, yo decía: soy vendedora. Y cuando me preguntaban de qué, decía que de instrumentos de tortura y sueños. Y de telecomunicaciones. Porque el yoga es una forma de telecomunicación también. ¿O no? Me quedaba viendo a la persona fijamente y decía: de tortura y sueños. Pero en concreto, de telecomunicaciones. Me devolvían la mirada con expresión confusa. Luego yo decía que era un chiste, y agregaba: tal vez todo es un chiste. En el fondo todo da igual. La situación se volvía más incómoda aún y no me preguntaban nada más. Debo parar, me advertía a mí misma. Debes parar. Esto no te beneficia.

Menos mal que teníamos El Triángulo de las Bermudas. Y sobre todo The Gin Mill. The Gin Mill es un pub irlandés que de martes a jueves a partir de las nueve de la noche pone sets de merengue, cumbia, salsa y reggaetón. Tiene una mesa de pool y un tiro al blanco. Por supuesto, está siempre a reventar. Reggaetón, merengue, salsa: *you name it*, que es como decir tú lo nombras, lo que sea. Te lo bailo. Cuando estábamos muy cansados o muy sudados Sebastián y yo nos sentábamos en una esquinita y nos metíamos mano hasta que yo le decía:

—Basta. A bailar.

En las mañanas nos duchábamos por separado y nos íbamos al Bagel Café. Yo me comía un muffin y él, claro, un bagel.

—Beatriz, lo que te dije ayer es en serio –dijo Sebas una mañana mientras se limpiaba la boca empegostada de queso crema pasándose la lengua por los labios y se chupaba los dedos.

—Gracias —respondí—. ¿Por qué hacen eso?

—Yo igual estoy solo. ¿Qué cosa?

—Tanto queso crema.

—Porque los bagels no saben a nada.

—¿Para qué los pides, pues?

Subió los hombros y dijo:

—Hmmm.

Mientras yo le agregaba una bolsita extra de azúcar al café, que tampoco sabía a nada, él siguió con lo otro.

—Estaría bien bacán. Ya conoces todo. El apartamento y al dueño. ¿No te vas a comer eso? —dijo señalando lo que quedaba de mi muffin.

Se devoró lo que quedaba de mi desayuno en dos mordiscos.

—Uff. La rumba sí da hambre.

Josefina se puso contentísima cuando le dije que me mudaba con Sebastián. Me dijo que podía seguir yendo los domingos a su casa a cocinar y comer de su comida toda la semana. Eso hice. Nos sentábamos, Sebastián y yo, en uno de los dos banquitos de El Triángulo y ahí almorzábamos si no hacía frío. Si no hacía calor.

Un día de noviembre Theresa con hache me habló de la quinta misión.

—Mi sobrina Robin llega mañana. Necesita compañía. Se quedará aquí quince días. Tal vez le puedes enseñar a hablar español.

Por supuesto que nadie aprende a hablar español en quince días. Pero mi respuesta fue:

—Bien. ¿A qué hora la busco?

A las tres de la tarde del día siguiente llegué a la puerta de la casa de Theresa, toqué el timbre, y abrió una muchacha flaquita, blanquísima, de cabello negro y largo, con brazos de fósforo y piernas de gancho, en shorts de bluyín cortos y camisa a cuadros. En la nariz un piercing y los ojos súper maquillados. Kajal. Bien. Vamos bien.

Todo lo que ocurrió, ocurrió en inglés.

–¿Estás lista?

–Umjú.

–Yo soy Beatriz. Vamos a El Triángulo de las Bermudas.

Se me quedó mirando con expresión incierta y desabrida. Es decir: no sé qué quería decir con aquella cara. Igual la llevé. Llegamos al lugar. Entonces descubrí que El Triángulo de las Bermudas no siempre se ve. Es increíble. Nos sentamos en mi banquito. Le dibujé el triángulo en el aire, tal como me había enseñado Sebastián, y su respuesta fue:

–¿Dónde queda la oficina de correos?

Increíble. Vamos mal, me dije. Esto va a ser como el *telemarketing*. Insistió:

–El correo. ¿Dónde está?

–En la calle de abajo.

–Vamos, pues.

Tenía que enviarle una postal a su novio. Antes tenía que comprar la postal y luego mandar la postal al novio. Fuimos a la tienda de

Ezequiel, que quedaba en la vía. Lo encontramos de pie junto a la caja registradora e inclinado ante un papelito, con un pequeño lápiz en la mano. Estaba escribiendo un poema. Eso dijo orgulloso al vernos entrar:

—Estoy escribiendo un poema. Con este llevo ochenta y siete.

Bien.

Robin eligió una tarjeta con un gato peludísimo. Aseguró que era una raza asiática que había sobrevivido a la bomba de Hiroshima. Ni idea. Su novio jugaba fútbol americano y era muy celoso. Su mamá estaba enferma, de una enfermedad sobre la que lo único que supe fue:

—Yo vine a despejarme. El padecimiento de mi madre: lo único de lo que no hablaré.

A ella no le escribió ninguna postal.

Supe luego que Theresa la había mandado a buscar. Tienes que despejar la mente, le había dicho. Sal y despeja tu mente, le había dicho. Y Robin le hizo caso. Cumplió con su palabra. Se dedicó a salir y despejar la mente, es decir que paseó todo el día y no habló de su mamá ni le escribió postales. Se echó en la grama a hablar inglés. Admitiré que mi desenvolvimiento en todo lo referente a la responsabilidad número cinco dejó mucho qué desear.

—Mejor te enseño yo a ti —me dijo Robin el segundo día—. No tendremos clases de español. Yo vine fue a despejarme. Cuéntame todo.

Nos acostamos en la grama del parque frente a la estación a ver las nubes.

—¿Todo?

—Sí. Todo —respondió sentándose y sacando de su bolso un esmalte de uñas negro. Se pintó las uñas de los pies.

No es fácil contar veintitantos años así como así. Pero por algún lado tenía que comenzar.

—Pásame tus pies. —Y me pintó a mí también las uñas.

Pronto tomé una decisión. Si vamos a hacer esto, hay que hacerlo bien. ¿Qué era "esto"? No sé. Sólo sé que tomé una decisión: hacerlo bien, y al día siguiente dije a Robin:

—Voy a grabarte historias. Te voy a contar quién soy.

Y eso hice.

Durante esas dos semanas casi no vi a Sebas. No durante el día. Me encontraba con él sólo al final de la jornada o en el trabajo. Las diligencias las hacía solo. Yo tenía mi misión: la quinta. Una misión que como ya dije, no cumplí, o no cabalmente.

Cuando no has vivido en un sitio desde siempre, cuando aterrizas así de manera forzosa, la persona que eres es un personaje secundario. La protagonista de esa historia que es la tuya es una extraña, vive una vida paralela que a la vez te pertenece. Es complicado. Si te desconoces a ti misma, si borras parte de tu pasado para no entristecer o para hacerte la vida más fácil, que en este caso son la misma cosa, ¿cómo puedes decirle a los demás quién eres? De paso, ya no eres adolescente, no tienes todo el tiempo del mundo para compartir. Pongamos Andreína y yo, por ejemplo. Pasábamos cuatro y cinco horas pegadas al teléfono conversando sobre cualquier estupidez después de estar todo el día juntas en el colegio. Eso ya no vuelve a pasar. Me escucho diciendo que eso ya no vuelve a pasar y me digo: Bea, te convertiste en una adulta contemporánea. La adultez contemporánea no es una edad, es una manera de ver el mundo. Qué pavosa, Bea. Hay adultas contemporáneas de ocho, quince años. Bea: te veo mal.

Así que cada noche durante las siguientes noches me senté en la cama y me dediqué a contar. Cada grabación debía tener un título. Robin: te voy a hacer una grabación contándote quién soy, claro, fue la primera. Le siguió: Este fue mi primer novio, ya va que enciendo un cigarrillo. Robin: te voy a contar ahora cuándo fumé mi primer cigarrillo y cuándo fumé mi primer tabaco. Los españoles le dicen porro. Creo. Otras: Te voy a contar cómo fue que terminé con mi primer novio y por qué. Te voy a contar por qué no deberías tener un novio beisbolista: nunca tengas un novio beisbolista. Tampoco tengas un novio surfista: insolación segura. Esta es la historia de cuando yo quería un perro y me robaba el de los vecinos. Un día me mordió y salió corriendo y no lo pude rescatar.

—Ahora Robin y yo somos muy amigas —dije a Sebastián un día sentados en mi banquito mientras él armaba un cubo mágico a la velocidad del rayo y yo tomaba un *moccaccino* de Starbucks.

—¿Y de qué te sirve? Si ya se fue.

Me arrimó hacia él abrazando mi cadera con una mano. Empezamos a besarnos. Posé mi moccaccino a un lado en el banquito y le metí la mano bajo la camisa. Esa noche fuimos al hornito de arepas y luego a The Gin Mill. Al día siguiente nos bañamos juntos. Fuimos al Bagel Café y desayunamos lo de siempre. De Robin, no supe nada más.

Lighthouse

A las víctimas de la pandemia de opioides,
a quienes les sobreviven e intentan reconstruir la fatalidad
como si tal cosa fuera posible[1]

Not even one's own pain weighs so heavy as the pain one feels with someone,
for someone,
a pain intensified by the imagination
and prolonged by a hundred echoes

Milan Kundera

---

1 En esta historia se funden This American Life, material de archivo sobre la crisis de opioides en los EEUU, y mi amor por un pequeño faro rojo en una de las costas de la ciudad que me adoptó.

Tantos mensajes ofreciéndole drogas, invitándola a esta rumba, a la casa de no sé quién. Acá están, los números grabados en su teléfono. Parecerá estereotípico y tal vez lo siento, o tal vez no: a los hechos me remito, casi todos eran hombres. Ella me diría: qué sexista eres, Lau. Qué radical. Yo le respondería: es obvio, boba. Aquí están. ¿No ves? Acá los tienes. Todos hombres. Radical quiere decir que llega a la raíz, le diría. Y esto está más bien a la vista. Los apunté en la libretita color naranja con elástica del mismo color que encontré bajo su almohada pocos días después de lo ocurrido. Cuando me atreví a recoger sus cosas. Tropecé con esta libretita y me la robé. Técnicamente no fue un robo, porque, obvio: ese cuaderno ya no tiene dueño. En fin. Sentí que mi hermana me miraba desde algún lugar y me decía: te pasas. Deja de meterte en mi vida, deja mis vainas en paz. Yo le respondía: ¿en tu vida? Será en tu muerte, pendeja. Tomé el cuaderno a hurtadillas y le hablé (al cuaderno). Le dije: listo. Ajá. Tú me vas a decir qué pasó. Como si me hicieran falta esas páginas para saber. Lo introduje en mi bolso. Me apropié de aquel rectángulo naranja y desde entonces cada vez que apunto allí algún rastro que a fin de cuentas resulta inútil, ocurre algo bonito: siento que estoy haciendo una tarea del colegio por ella. Devolviéndole un favor. Porque era ella quien me sacaba de problemas, era ella quien hacía las tareas pendientes y a última hora por mí. Ella era la aguda, la inteligentísima. Se daba el lujo de no creer en el talento porque era talentosa en todo. Yo era la persistente.

Allí en esas páginas asenté los nombres y los mensajes y las horas de cada llamada de los últimos días, en orden cronológico. Como el ser perseverante que soy. Terminé también anotando mis cosas, mis dudas. Me apropié de aquel rectángulo naranja.

Toda línea está hecha de puntos. Todo mapa está hecho de puntos. ¿Llegar hasta el faro rojo del Hudson y estacionar el auto frente al río? Requirió unir cientos, miles de puntos. Comenzando por los de sus muñecas y sus muslos y sus tobillos tal vez, y claro, sus antebrazos tan cansados al final de ofrecerse a ese mapa que la llevaría al borde, una línea que empezó en el hospital el día en que nació, y terminó allí. Ante el faro rojo del Hudson. Millones de puntos brillantes. Ella, Lau, un punto que se fagocitó a sí mismo, que ya desapareció. Un punto en el borde del Hudson. Técnicamente yo soy un punto también, o mejor dicho muchísimos puntos en la vida de mi hermana. ¿Dónde quedan los puntos que fui? ¿Los que ella dejó en mi memoria, dónde quedan ahora?

Un faro puede estar en un precipicio, en un arrecife en mitad del mar. En muelles y bahías. Un faro es también un punto. Un faro es anuncio de algo más, existe para asegurar la continuación del punto que sigue. Eso sí: un faro no es un salvavidas. Está ahí, inmóvil y silencioso. Un faro no te salva. El asunto es saberlo leer, no confundir sus señales. Entender qué hay entre tú misma y ese monumento. Lo importante son los puntos entre tú misma y el monumento. Y qué haces cuando los sigues, cómo es que llegas allí. Quisiera saber por qué Jac fue al faro. ¿La torre tendría la luz encendida cuando llegó? ¿Estaría siguiendo aquella luz cuando decidió estacionarse justo debajo? Un faro a fin de cuentas puede ser un lugar turístico, es decir un lugar sobre todo inútil. No cuida a nadie, no avisa nada. Asciendes contando cada peldaño como si llegar al tope garantizara un trofeo, ves el paisaje, el río, te haces un *selfie*, y desciendes cansada a celebrar un picnic: ¿Quieres un sándwich de jamón y queso? ¿Te paso la bandeja de *crudités*? Coño. Detesto la palabra *crudités*.

Hay que admitir algo: el faro elegido por Jac como último paisaje, si es que lo eligió y es muy probable que lo haya elegido, debe ser uno de los faros más lindos de la superficie del planeta. Una torre roja miniatura en las orillas de Manhattan, en la orilla del Hudson, protegida por el George Washington Bridge. Un gesto apenas, una pincelada fuera de escala ante la inmensidad metálica que conecta un lado al otro de la costa fluvial. Jacqueline, quisiera decirle: vivimos una vida, no dos sino una sola vida juntas. Todo lo que soy te lo debo en parte, y no todo lo que eres te lo enseñé yo. Te me volviste una extraña. Te fui perdiendo, te me fuiste hundiendo.

Mi hermana era tremenda lectora, pero ahora que lo pienso: no todo se lee igual. La luz de un faro es un punto avistado a la distancia, un punto de fuga rebelde que se devuelve como un mensaje punzante. El ojo abierto mirando el faro es un punto, la obturación del ojo no es necesaria para la obturación de la luz. Puedes dejar los ojos abiertos y dejarte llevar por el punto negro en el que te has convertido. Puf. Adiós. No leíste el mapa, no supiste cómo llegar, te tragó el túnel. Se hace pequeño el asentamiento de la luz, se vuelve milimétrico, micrométrico, atómico. Mi hermana era una gran lectora, pero ahora que lo pienso: era tremenda analfabeta de faros. Era tremenda analfabeta de puntos cardinales. Una brújula bailarina.

Todas las líneas que me llevan a mi hermana están hechas de puntos. Ya lo dije: de las dos ella era la brillante y yo la persistente. No puedo soltarla, las preguntas no dejan de llegar. Las bolsitas que se inyectó dibujaron el mapa que la llevó al faro, al precipicio. Los trabajos que no logró mantener por estar desde hacía mucho con un pie en el otro lado: parte de ese mapa que la llevó al Hudson, son también puntos. ¿Quién le habrá pasado la última bolsita? ¿Estaría con alguien en el carro? ¿Dijo a alguien: aguántame la liga acá y alguien sostuvo la cucharita mientras miraba hacia otro lado, hacia el Hudson, por ejemplo? Punto. Final. *Hasta la vista, Baby.* ¿Cómo se abandona a alguien que está muriendo, si es que alguien la abandonó?

Cuando salíamos a ruletear en el carro me enseñaba: esto es Velvet. Esto, Jane's Addiction. Tripéate este violoncello. Este es Birdie. Este es Dylan y estos, Rage Against the Machine. Mi hermana no tenía límites. Brahms. Nine inch Nails. Pantera. Fitzgerald y Bach. Bueno, sí. Sí tenía un límite. Vamos a decir que tenía un punto límite: el reggaetón. Le arrechaba sin medida. Una noche, recién graduada ella, nos fuimos de rumba. Llegamos gateando a la casa. Bailamos. Comimos helado con trocitos de oreo y lo que quedaba en una lata de crema pastelera. Encendimos unos palitos de patchoulí. Aquella madrugada me hizo prometer: Lau, júrame que reggaetón jamás. Júramelo.

Cuando murió tenía treinta y cinco años. Y qué cosas. Este año se cumple el aniversario número treinta y cinco del festival anual de los faros en este país. Todo un detalle. Un día le regalé un rompecabezas de un cuadro de Turner. En el cuadro aparece un *freaking* faro. La caja decía mil piezas pero tenía mil y una. Vino con una de más. Estuvimos horas buscando lugar para aquel trocito de cartón ilegible hasta que entendimos que no, que no calzaba. Aquella era una pieza inútil, incómoda. ¿Qué hizo Jac? La guardó en su monedero. Esta es la mía, dijo. Esta soy yo. Y la guardó.

¿Qué hice yo? Nada. ¿Qué le dije?

Nada.

Un faro está allí. Sin iguales. Un punto solitario que confirma el peligro. Una pequeña embarcación sin brújula en plena tormenta incendiaria de Turner es incapaz de alcanzarlo. Ahora que lo pienso, durante un tiempo Jac fue mi faro maltrecho. Un punto cardinal inalcanzable. En el bachillerato nos intercambiábamos la ropa. Esto, no voy a mentir, era un problema. Mi lado del clóset: ordenado. Todo doblado. Limpio. Su lado del closet: montañas de ropa. Lo sucio mezclado con lo limpio. Yo le decía: no te presto más mis vainas, Jac. Es que me devuelves todo sucio. No te presto nada más. Una vez quemó mi suéter preferido. Le había hecho prometer que me lo cuidaría como a su vida, y me lo devolvió quemado. Puestos a ver mi hermana cumplió con su promesa: al suéter lo cuidó como a su vida.

En el bachillerato me robó dos novios. Técnicamente, tres. El último me lo devolvió. Me dijo: yo no sé tener novios, Lau. Te lo devuelvo. Le gusto demasiado. Si me lo quedo, lo destruyo a él también. Eso dijo. ¿Y yo qué respondí? Ya me lo dañaste, Jac. Quédatelo tú. Porque nosotras teníamos un código: el novio era intercambiable sólo si el asunto estaba comenzando, si te gustaba pero no había llegado a primera base. Digamos que había un punto. Un punto de no retorno: los besos con lengua, claro. Besar al tipo que le metió la lengua a tu hermana es como besuquear a tu hermana. Porque a nosotras nos llamaban las hermanitas peligro. Jac, evidentemente, era la más peligrosa de las dos. Era una mezcla entre Janis Joplin, Anton Corbjin, David Bowie, Uma Thurman y Shakira. ¿Qué tiene toda esa gente en común? Nada. A mi hermana. Jac llegaba a todas las fiestas con su guitarra, contando chistes, achinando los ojitos así y todos caían a sus pies. Era desmedida con el flirt, con la bebida, con el baile. Bailaba lo que le pusieras (coño, sí, todo menos reggaetón): salsa, cumbia, techno, punk rock, tambores. Era un tornado. El ojo de un huracán. Ese punto. Un punto magnético de pronto orbitado por mil tipos ofreciendo *shots*, copas de vino, viajes relámpago a la playa y quién sabe qué más. Varias veces la dejé en fiestas rodeada de carajos haciéndole la corte, enloquecidos ante aquella anomalía. La brújula bailarina rodeada de filibusteros. Ahora que lo pienso: tal vez alguna de esas noches conocí al tipo que le vendió por última vez.

Al día siguiente la llamaba compulsivamente sintiéndome culpable, aterrada. Nadie contesta. ¿Y si no llegó? No dejaba de marcarle hasta que levantara la bocina del teléfono. Entonces la obligaba a vernos para conversar, y en esas ocasiones solo yo hablaba mientras ella con los ojos colgados de algún punto en el vacío afirmaba de vez en cuando. De pronto contestaba mirándose en el espejo y sacudiéndose el cabello: estoy pensando en cortarme el pelo como Sinead O' Connor. ¿Qué te parece? Y yo: ¿qué tiene que ver, Jac? Qué tiene que ver. Nada. Porque yo la fui extraviando. La fui viendo extraviarse. En un retiro de Adictos Anónimos para familiares aprendí que para guiar a alguien perdido no hay que dar soluciones sino hacer preguntas. Que lo contrario a la adicción no es la sobriedad: es la conexión. Me dije: listo. Podemos conectarnos, tenemos todos estos puntos en común. Entonces yo le hablaba y ella salía con lo de la O'Connor. Qué éxito.

Jac, vamos a vernos. Ella decía que sí, pero le daba largas. Al final nos encontrábamos, y yo, qué pilas yo también, le preguntaba: ¿qué quieres para tu vida, Jac? Un millón de dólares, respondía la muy hija de puta. ¿Qué quieres en el futuro? Ser presidenta del mundo. Yo seguía: Jac, ¿cuál es tu sueño? Un día me dijo: déjame en paz, deja de preguntar estupideces, no me jodas. Pero sobre todo, Lau: no vayas a esos retiros de mierda. No sirven para un carajo. No parecen cosas tuyas, me dijo. Y tenía razón.

Hay un punto indiscutible. Si alguien no quiere encontrar la solución a un problema, no hay nada qué hacer. No logras que la gente deje de fumar diciéndole que la nicotina da cáncer. No logras que una persona haga ejercicio diciéndole que los cuerpos queman calorías al moverse y que es bueno para la salud. Una vez Jac me explicó. Me dijo: no me busques conversación. ¿No ves que no te paro bolas? Esto es como estar muerta de sed y que allá lejos te muestren un vaso de agua. Mientras tú me hablas sobre la vida, Lau, y me haces tus preguntas ridículas, yo sólo pienso en el vaso de agua. Yo sólo pienso en cuanta sed tengo. Yo solo pienso en sobrevivir. Qué carajo me importan mis sueños. O el futuro. Yo lo que tengo es sed. Yo lo que tengo es sed, ya.

Con la agendita en una mano y el celular en la otra he buscado reconstruir sus últimas horas. He intentado dar sentido a sus anotaciones. Por ejemplo a esta:

Rise and Shine: 1. Café y/o agua, 2. Desayuno (opciones: cereal, pan con mantequilla, azúcar y canela, huevo sancochado), 3. Baño, 4. Caminar, 5. Llamar a Nora, 6. Almuerzo con los viejos, 7. Caminar, 8. (en blanco).

De donde dice "Caminar" en bolígrafo azul, en ese punto siete, sale una flecha en marcador negro hacia esta anotación de algún día posterior. Una nubecita: hablar con Lau sobre Holston. Luego escribió, fuera de la nube y más abajo:

Esperar cuatro meses. Preguntar en octubre.

Y sí. Cuando River tuvo a sus cachorros Jac me pidió que le regalara uno. Esto fue en julio. Por supuesto no se lo regalé. Si no se podía cuidar a sí misma, ¿cómo le iba a regalar un perrito recién nacido?

Le di largas. Tener un perro era la excusa perfecta para caminar. Eso dijo. Jac dijo: es la excusa perfecta, así aunque no quiera, aunque me duela el alma, estoy obligada a salir. ¿Y yo qué respondí? Dije que el cachorro era muy bebé, que era necesario esperar al menos cuatro meses. Okay. Esperamos, respondió, pero llámalo Holston. Así cuando me lo traigas él sabe que ese es su nombre. No tuvimos cuatro meses, e vi den te men te. Lau: el hijito de River se va a llamar Holston. Así cuando estén juntos, cuando los paseemos juntas, van a ser como la canción de Johny Cash.

Jac era súper creativa pero no creía en que la creatividad fuese un súper poder. ¿La idea del músico iluminado por un mensaje divino y sentándose febrilmente ante un pentagrama o ante una pantalla a hacer música? Nada qué ver. ¿El cantante de rocanrol maldito componiendo de un tirón la pieza de tres minutos y doce segundos, nada más y nada menos, con la ecualización y la mezcla perfecta? *Nope*. Jac creía en el trabajo. Era aguda y creía en el trabajo. Así mismo. "Aunque usted no lo crea". Decía que los músicos se adaptan a formatos preexistentes. Que trabajan en retrospectiva, que se adaptan a los espacios en los que tocan. No es lo mismo la acústica, la calidad del sonido o el comportamiento de la gente en un coliseo que en un teatro cerrado, Lau. No es lo mismo la acústica en un salón cortesano renacentista que en un estadio de deporte o en la sala de grabación en un sótano de un edificio.

No es lo mismo, es lo que comprendo, la acústica en la sala de la casa familiar (digamos en el cumpleaños de tu mamá del que sales dando un portazo), que en el cuarto de visitas de la casa de la abuela con su papel tapiz de colores, que en el asiento delantero del auto donde te encuentran muerta. Eso entiendo yo. ¿Habrá querido morirse?, se pregunta todo el mundo. Y la respuesta es: no. Ella no quería morirse.

La última vez que la vi fue en el cumpleaños de mi mamá. Le tocó lavar los platos. O eligió lavar los platos. Todo el mundo celebrando y ella mirando al infinito, con un pie acá y el otro allá. Jac pasó como una hora frente al chorro de agua abierto. La última copa se le resbaló de las manos. Mi mamá se molestó. ¿Y sabes qué dijo Jac? No te amargues, mamá. No importa. Esta es la mía. ¿No es obvio? La copa rota es la mía. Mi mamá no le prestó atención. Mi papá intentó confrontarla. Yo hice lo de siempre. Me fui a la sala y me senté en el sofá. Escuché a lo lejos voces hablando de una bolsa de cocaína hallada no sé dónde no sé cuándo. Un punto. Mi hermana también hizo lo de siempre: los miró con expresión ofendida. Dijo: ¿por qué ustedes piensan siempre lo peor? Salió de la casa con un portazo. Otro punto. Esa noche envió a alguien un mensaje de texto: "mi familia me detesta, y mi hermana me odia". ¿Qué cómo lo sé? Porque tengo el teléfono y me sé todos los mensajes de memoria. Cuando leí el texto, claro, ya era tarde.

Jac, ¿cómo vas a decir que te odio? Si yo te adoro. Eres mi hermana mayor.

Ya era tarde.

Hay cosas que no entiendo. Apunto en su libreta: 1. ¿Ya no veía al psicólogo?, 2. ¿Qué hacía en el faro y por qué tenía las ventanas cerradas?, 3. Alguien la vio morir y salió corriendo?, 4. ¿De verdad tenía los audífonos puestos?, 5. Si es así: ¿qué música estaría escuchando cuando cerró los ojos o cuando el punto se oscureció a pesar de los ojos abiertos? La muerte perfecta. Sin improvisación, sin inspiración: millones de puntos consecutivos, la biografía de Jac, ordenada y ajustada a las condiciones preexistentes y cada vez más opresivas, hasta el final: un faro sin luz. Una brújula estallada. Todo es cuestión de contexto, hubiese dicho ella. Todo está conectado, hubiese dicho. Mi hermana jamás hubiese dicho: es cuestión de las mareas, la suerte, el destino. No. No era su estilo. Por cierto, Jac jamás hubiese ido al faro a hacer un picnic y comer *crudités*. Pásame una birra ahí. Eso sí. Pásame la bolsita. Eso también. Aguántame la liga acá. Eso también. Pon música y vamos a bailar. Pfff. Obvio.

Durante un tiempo me iba a dormir temiendo que Jac no amaneciera, que en plena noche me despertara una mala noticia. Mi mayor miedo no era una sobredosis. Era un accidente de tránsito. Una madrugada vi su auto a todo dar por la autopista. Me empeñé en seguirla, en protegerla, en ser su escudo. Pude verla en el reflejo de su retrovisor con los ojos a media asta. Iba cabeceando. La seguí hasta su casa. Nunca me dejó subir y yo nunca insistí. Entré por primera vez la última vez para encontrar ante mí un paisaje desconocido y carente de hermana. Solo reconocí la foto de la madrugada del patchoulí y el pacto musical, algo de ropa. El estuche de maquillaje que di por perdido para no discutir. No sé cómo logró llegar aquella madrugada a su casa pero llegó. La vi luchando con la llave en la puerta del edificio. Hubiese podido acercarme. Decirle: dame acá, Jac, que vienes bizca. Dame acá la llave, pendeja, ¿qué crees que haces? Pero ya entonces le temía. Temía que me maltratara, que se alejara más, equivocarme. Mi hermana se convirtió en una desconocida.

Trabaja en las conexiones, sí, te aconseja el grupo de ayuda del carajo. Jac, tenías razón, le digo ahora a mi hermana. Esa gente no sabe de qué habla, no sabe que toda conexión requiere de dos puntos y tú abriste un orificio al tuyo siglos atrás. La vi de lejos peleando con la cerradura. ¿Y qué hice? Nada. Entrometerme me asustaba, quitarle la llave y entrar a su casa era tomar cartas en el asunto y yo tenía una vida. Aquella noche me dije: déjala. No te metas. Me dije: está viendo a su psicólogo. Tiene un grupo de ayuda. Llámala más tarde, llévala a comer donuts mañana en la mañana. No puedes ser su protectora, su guardiana, su punto cardinal. Me dije: ella está grandecita. Llámala más tarde. Ella va a estar bien. Jac está buscando un faro. Jac va a encontrar un faro.

Fin

Dreams, you know, are what you wake up from

Raymond Carver

Romperé una de mis reglas: no contar sueños sobre cuentos o cuentos sobre sueños. Andrea, una amiga a quien tengo mucho cariño y conozco desde siempre, describió hace pocas semanas en la fiesta de cumpleaños de Felipe, su pareja, una pesadilla reincidente sobre armas y ladrones. Detalles más detalles menos, el sueño es así: durante la noche, dos hombres irrumpen en su casa a través de la ventana de la sala. Ella los ve entrar, una mano enguantada en cuero desliza el cristal hacia un lado, qué peliculera, otra mano se asoma al borde inferior del marco, el primer cuerpo da un brinco y ya ha entrado. En el sueño mi amiga despierta al escuchar los ruidos. Sacude a Felipe para advertirle: dos intrusos han entrado a la casa. De algún modo sabe que son dos sin haber visto entrar al segundo. Zarandea a Felipe, pero él no mueve ni un átomo. Duerme profundo. Finalmente reacciona, salta de la cama y en boxers y sin camisa, despeinado y con los ojos muy abiertos y el índice derecho cruzando en vertical los labios cerrados, susurra: Andrea, shhh. En pánico. Dadas las circunstancias y en la oscuridad, el marido alarmado comienza torpemente a buscar una pistola, como si tuvieran —y no. No poseen armas de ningún tipo, ni en la vida real ni en el sueño—, para defenderse. Mientras esto ocurre, ella observa cuán despeinado está él, piensa que no lleva camiseta, está muy descubierto, muy vulnerable —como si una pijama fuese equiparable a una armadura— y se dice que no, que armas no tienen, de ningún tipo, ni en la vida real ni en el sueño. Se limita a observar. Inmóvil.

En todas las pesadillas ocurre lo mismo. Con ligeras variaciones cuando Felipe al fin despierta e intenta salvarlos, ella permanece inmóvil, como clavada a la cama. La Andrea aterrorizada al inicio del sueño desaparece, se vuelve indiferente, asume su probable final con entereza, como una escultura de hielo. Pero es un sueño matriushka, porque así como desde el sueño desarmado ella está al tanto de la realidad desarmada, así mismo desde fuera de sí misma en el sueño mi amiga ve con angustia su propia inacción. Se trata en fin de pesadillas ansiosas e ineficaces en las que ella resulta acribillada antes que el marido, y en las que al final aparece la imagen de los dos, uno sobre el otro, o muy juntos, asesinados. Ella se pregunta después de muerta, mirándose desde fuera, cómo es que lograron terminar así, morir teatralmente, tan cercanos el uno al otro, rozándose o tocándose la punta de algún dedo de una mano. Siente ternura y desazón.

Andrea describió inquieta su propia indiferencia en aquellos sueños. La poca efectividad de ambos, suya y del marido, ante la amenaza. Ilustró también la tristeza profunda al despertarse al mundo real, pues en estas pesadillas ella siente el dolor de su esposo al verla morir, y siente el dolor propio al verlos inertes en el suelo. Así que amanece tan triste, experimenta extrañeza, estupefacción por su propia apatía, por su torpeza. Sintiéndose culpable, y en duelo. Despierto desesperanzada, como si quien ha abierto los ojos fuese a la vez la conciencia de aquellos dos cuerpos inertes en el piso, dijo. Aquella vez se despidió, y no volvimos a encontrarnos sino varias semanas más tarde, cuando conversando ante un café marrón ella, y un negrito yo, me comentó que había soñado de nuevo con armas de fuego, con violencia. Esta vez estaba con un amigo común, con Emiliano, en el jardín de una casa que no era la de ninguno de los dos, y llegaban unos hombres a los que debían leer un guión de cine. Emiliano y ella son escritores, escriben para ganarse la vida. El caso es que mi amiga me contaba que en el sueño de pronto los tipos se vuelven malvados, no han hecho nada aún pero repentinamente ella sabe que son malvados y se pregunta por qué iba a leerles ningún guión. Los intrusos son unos hombres viles, enfermos. ¿Cómo lo sabe?, pues porque es un sueño, supongo. Sabe que son ladrones y que además quieren verla sufrir. El caso es que buscando defenderse, ella y Emiliano intentan desmayar o asesinar a los tipos. Da igual el desenlace con tal de salvarse. Andrea insistía en que el asunto del sueño –si es que a los sueños puede definírseles un único asunto, eso no lo sé, ni ella– es la irrelevancia del procedimiento a seguir e incluso del resultado: desmayo, pulverización, asesinato, da igual. La única moral es la salvación. Todo ocurre así:

Ella golpea a uno de los dos con la base de la palma de la mano en la nariz, con insistencia pero al principio con escasa fuerza, sin éxito. Entonces piensa en Kill Bill. Y de ahí en Pulp Fiction. Ella es ahora Uma Thurman. Uma voltea a ver a Emiliano, que se ha convertido en John Travolta, y en ese momento toma al otro tipo por los cabellos estrellándolo contra la pared. Ella sabe en el sueño que ella y Emiliano son ella y Emiliano y no los actores o los personajes. Pero a la vez sí lo son. ¿Cómo es posible? No me lo pregunten. Al final, los dos hombres malvados quedan desmayados, pulverizados o muertos en el piso.

Esa tarde, entre risas, Andrea comentó que fueran quienes fueran, Uma, John, Andrea o Emiliano, en el sueño ambos son la misma persona. No me extrañó, ella y Emiliano siempre se han entendido muy bien. Añadió que seguramente todo aquello evidenciaba sus intentos por integrar lo masculino a su psique, por resolver y enfrentar sus miedos, por agenciarse un espacio de libertad, y otras cosas más que encontré confusas. Pensé en el sueño anterior, en el que aparecía

Felipe. Andrea también era ambos. Ambos se entrecruzaban desde el sueño hasta la vigilia. Algo así le comenté. Al menos ahora te salvaste, añadí. Riéndome le dije: hay que rezarle a Santa Uma. Un altar. Unas velas.

Ayer nos encontramos. Mientras esperábamos por nuestros cafés, un marrón para ella, un negrito para mí, me dijo sosteniéndome por los hombros: Gané. Se acabaron los sueños con pistolas, revólveres y asaltantes, dijo. ¿Cómo lo sabes? ¿Cómo lo sé? Mira este sueño. En este, que será el último, me dijo confiada, dos hombres, dos amigos, que, sorpresa-sorpresa son la misma persona, se enfrentan a muerte, se apuntan con revólveres en una planicie en la que la poca vegetación que hay es brillante, fosforescente. Estos dos hombres están en el medio de la nada, el sueño tiene una cualidad viscosa, el tiempo es un vaho lento. Andrea desconoce cómo está al tanto, ella nunca ha estado allí, pero sabe que el sueño ocurre en Islandia. Uno de los dos se esconde tras una plancha de hierro oxidado y descompuesta. Sus breves fronteras lo obligan a mantenerse inmóvil. El amigo piensa que ese pobre escudo no servirá de nada. Y tiene razón. Andrea, que en el sueño es este hombre, piensa que el pobre tiene razón. Otro sueño Matriushka, dijo.

Los dos tipos están suspendidos en este ambiente incómodo, tenso. En eso el hombre que es Andrea, toma la decisión: en una inhalación toma impulso, y aterrado, pero seguro, deja que su silueta salga del rectángulo. A lo lejos el que está de pie y sin protección lo mira con temor. Y aquí es que viene lo más asombroso: aquí es cuando en el sueño, dijo Andrea, descubro que soy los dos hombres, soy también el otro, sé perfectamente qué siente cada uno. El que ha salido de su escondite piensa que debe terminar con la pesadilla, que así no tiene sentido vivir; se sabe incapaz de disparar al otro, que lo observa de pie. Decide que es mejor acabar con todo de una vez. En el sueño piensa que la violencia, la tensión, esa nada aterradora que los rodea y los obliga a mantenerse inmóviles y sufriendo, no se parece a él (o a ella). Que él (o ella) no juega más. Me contó mi amiga mientras avanzábamos hacia la mesa para dos con nuestros cafés, que en este momento suelta el revólver en el suelo, se pone de pie, y se da media vuelta. Es ahí cuando nota la planicie que la enfrenta: observa que la grama es escasa y fosforescente, que los colores explotan, vibran, la encandilan. Es entonces que se descubre en Islandia. Entregándose a ese paisaje, buscando hundirse o proyectarse en la perspectiva hacia el final, se aleja mientras espera el disparo. Al menos ya no estoy inmóvil, dice. Se retira sin saber si el otro que también es ella misma le disparará por la espalda. Se distancia inundándose de amarillo primero, de verde manzana después. Es un sueño liberador, añadió Andrea. El hombre se aleja mientras disfruta de la llanura cada vez más iluminada, concluyó. Es el final, me aseguró alzando su café como una copa de vino: soy libre.

Cayendo la tarde nos despedimos en la puerta de la pastelería con un abrazo. Quedamos en vernos pronto, subí a mi auto y de vuelta a mi casa pensé mientras conducía que es la última vez: escribir cuentos sobre sueños es complicado, son opacos, nunca tienes claro su significado. Más difícil aún cuando se trata de sueños que tú misma has soñado.

El comienzo del mundo en San Javier.

Are we in the business of falling in love with stories?

David Lynch

El día en que Plutón dejó de ser un planeta le pidió que se fuera con ella a San Javier. Tengo tantas ganas de ir, le dijo. Y tengo una misión. Deberías venir tú también. Desde hace semanas se imagina acostada boca arriba en el páramo, en alguna colina interminable, mirando el cielo. La verdad es que en su visión aparecen ambos, pero esto no lo menciona al invitarlo, imagina la montaña esponjosa bajo sus cuerpos, la brisa en los ojos y en los labios pronto resecos, el frío en los dedos de sus manos y sus pies. Al prestar atención a los pies ahora ve cuatro extremos -de cuatro extremidades- cubiertos por medias desajustadas, arrugadas, la forma curva de los talones en las prendas desplazada del lugar en el que los talones supuestamente van, haciéndose cariños como si fueran entes independientes, entes a los que la invitación y si será cumplida poco les importa. Quien investigue en el buscador sinónimos de la palabra imaginar encontrará fantasear, pero también conjeturar, crear, creer, fraguar e inventar. Y todas estas cosas ocurren cuando la heroína de esta historia visualiza la imagen que es casi un recuerdo de tan real, de tan posible. Con solo imaginarlo, el momento ha sido fraguado. Técnicamente las medias son animalitos felpudos que se hablan entre sí beneficiando en la visión a los pies que reciben el calor y el cariño que estos se ofrecen, y fortaleciendo este sentimiento clarividencia que no requiere explicación, claro que no requiere explicación, he dicho que es un sentimiento clarividencia que en pocas palabras puede resumirse en:

tú y yo ya hemos visitado el páramo andino juntos aunque no lo recordemos. El frío es un frío tímido, pues en este momento que llamaré creativo aún es de día y hay bastante sol, el cielo es azulísimo y las nubes son muy blancas. Deberías venir tú también. Mientras ella imagina y dice: deberías venir tú también, los pies ya se hacen el amor, y esto, de cierto modo, también es un recuerdo. ¿Cómo todo esto es posible? No lo sé. La heroína toma el autobús en el Nuevo Circo que no es un circo nuevo, sino una antigua estación de autobús, con su mochila en la espalda. Me voy a Mérida, ¿vienes? Esta invitación queda flotando, la acompaña desde el momento en que ha sido pronunciada como una certeza, no con respecto a la eventual llegada de él, queda claro que esto no hay manera de saber si ocurrirá, pero invitar a una persona a algún lugar es en cierto modo tomar una decisión, es ya llevarla hasta allá donde sea que allá es. El deseo prefigura. Me voy a una casita pequeña que me prestaron. ¿Vienes?

A esta mujer la acompaña una nube llamada deseo, esa nube sube con ella al autobús y la ayuda a encontrar el asiento once. En la mochila que el conductor ha organizado junto al resto del equipaje en la puerta inferior del bus, viajan *Un verano peligroso*, lo que la heroína necesita para identificar los pájaros del sitio si es que los hay, y un libro sobre petroglifos Arawak que contiene dibujos y mapas: *De cuando el Kwai andaba por el mundo tocando flautas. Petroglifos del Municipio Salinas en el Estado Mérida. Una aproximación etnohistórica*, que la mujer que seguimos se ha tomado el tiempo de subrayar y contiene anotaciones en los márgenes como si de un libro de poemas se tratara. Sí. La heroína de esta historia raya y anota los márgenes de los libros de poemas y se conoce en detalle el tratado sobre los petroglifos Arawak desde la dedicatoria hasta la bibliografía (que es abundante). Las noches en las que ella lee el libro, sueña con ríos, con comienzos del mundo y sociedades secretas, con el sonido de flautas. Lleva además un libro de Gamoneda que justo antes de subir las escalerillas del autobús saca del bolso junto a unos lápices, prácticamente ha tenido que suplicar al chofer que la deje abrir la tapa de la mochila y él de mala gana le ha lanzado el equipaje a los pies pidiéndole, no: ordenándole, que se apresure. A ella estos gestos antipáticos poco le importan, ella sabe lo que necesita y hay cosas que no negocia. Por ejemplo, el libro que sube con ella y junto a la nube al asiento once. Lleva unas ganas viejas de extenderse, de no hacer nada. A la vez, se dice que este viaje tiene un cometido. El libro de Gamoneda será la actividad a desarrollar mientras llega a San Javier y una vez instalada en el páramo se encargará de los petroglifos y de todo lo demás. Mientras llega ella, mientras llega la nube que es la invitación proferida que ahora la cubre, mientras, si acaso además, llega él. Se pregunta buscando el asiento si un libro es en sí mismo una actividad y la respuesta es que técnicamente no. A menos que se subraye y se dibuje en sus márgenes. Entonces el asunto es discutible. En este momento, ahora cuando ya está sentada y con los lápices en la mano preguntándose ahora qué, sin motivo aparente recuerda que David Lynch asegura que los artistas recogen ciertas cosas suspendidas en el aire. Simplemente las sienten y las acumulan. Ella entiende lo siguiente: no es que estás sentada y piensas ¿qué puedo hacer ahora para juntar lo que va junto y desordenar lo que hay que desordenar? No. Recibes ideas que van tomando forma, y si eres honesta al respecto y piensas profunda y emotivamente en personajes y en lo que hacen los personajes, logras ver unas líneas conectoras que son también dificultades y soluciones, y que pueden ser muy reales. Lynch debe tener razón. Ella toma la decisión de creerle. Lo importante ahora es sintonizarse, llegar, y si le está destinado encontrar el sitio Arawak para escribir la historia sobre el comienzo del mundo y las flautas sagradas, hallar las líneas conectoras y escribir. Por supuesto que la del comienzo del mundo no es una historia de ficción y ella lo sabe, pero igual las ideas y los sonidos deben flotar, han de llegar, han de atraparse y ordenarse. Gracias, Lynch.

No en vano a la casita la llaman la casita del árbol. Se trata de una cabaña pequeña. Una cabaña elevada, separada del suelo, que abraza un tronco muy vivo. Todo está a la vista en San Javier y esta casita aunque minúscula también lo está. La persona que lee esta historia podrá notar, si así lo desea, entre los parches blancos del cielo una señal suspendida en el aire, digamos una flecha constituida de luces intermitentes apuntando hacia la cabaña similar a un objeto volador no identificado (la flecha, no la casa) y que no lo es, puesto que esta no es una historia de extraterrestres sino el relato sobre la estancia de una mujer que se atreve a crear. Una de las tres ventanas grandes en la casa pequeña está ubicada en la cocina que como puede esperarse es una cocina eléctrica con espirales (dos: dos espirales) que al calentarse cambian de color negro a rojo intenso. La segunda ventana es más bien una puerta corrediza de vidrio que da a un balcón crujiente al pisarlo y en el que la heroína se propone, no más se asoma, desayunar cada día, tomarse un café o fumarse un cigarrillo cuando así lo desee. Sentarse a leer o sencillamente quedarse haciendo nada, mirar las montañas y esperar. Al sentarse allí por primera vez el paisaje cambiará y se imaginará con él, con el huésped que al fin ha llegado en esta visión, tomándose una botella de vino mientras se cuentan esas cosas que generalmente no pueden contarse pues el tiempo nunca sobra. ¿Qué digo? Nunca lo han tenido si es que el tiempo se tiene.

La cama de la casita del árbol es aérea, lo cual es perfecto. Una cama aérea para una casa aérea. Se trata más bien un segundo piso de madera oscura sobre el que se posa un colchón delgado, preparado con dos cobijas de lana gruesa y una almohada. Hace frío. Frente a la cama está la tercera ventana que más que una ventana es más bien una claraboya. Queda claro que en esta pequeña casa del árbol la heroína encuentra los tres principales tipos de ventanas inventados a lo largo de la historia, ella no lo pondera, pero esto deja mucho qué pensar con respecto a las dimensiones de cada estancia. Una casa mínima con todos los tipos de ventanas inventados a lo largo de la historia es una casa no tan pequeña, si a ver vamos. Y si está ubicada en el Valle de San Javier, como es el caso, la expansión de la vivienda es ilimitada. Volvamos atrás un segundo y consideremos la ventana puerta corrediza que da a la colina. Esta cabaña es inmensa.

Bajo la cama hay un escritorio con una lamparita color verde cuyo cable no funciona bien. Nuestra heroína encuentra el truco, lo mueve un poco a un lado, un poco al otro, y la luz se ha hecho, la lámpara ha encendido. Cómo se hace la luz es una pregunta compleja que requiere de conocimientos dan disímiles y a la vez cercanos como la física, la religión y la creación artística. Ahora bien, si quien se la ha planteado cree en los comienzos ilimitados y circulares del mundo, no posa conflicto alguno. Al llegar, la heroína instala su computadora, abre iTunes y presiona play en la carátura del disco de Vincent Gallo. Recostada del árbol –dentro de la casa– piensa que es increíble que Gallo sepa hacer tantas cosas tan bien y también en qué guapo es. Se pregunta si de verdad habrá escrito la canción titulada "Escribí esta canción para la chica Paris Hilton" pensando en ella, pensando en la chica París Hilton. Luego se dice que es increíble que esta casita la hizo Zoila. Quién es Zoila ahora no viene al caso, cuando sea el momento ella misma se presentará y entre las dos leerán un mapa y hablarán de petroglifos. La mujer invita a la nube a cambiar de música. Un disco renacentista catalán cuyo nombre desconozco.

Entonces la heroína se dedica a revisar los estantes de la cocina. Encuentra: algo de café, azúcar, leche en polvo, mantequilla de maní, avena, una lata de castañas. Abre una cajita de metal que contiene, en vez de bombones o algún juguete antiguo, la siguiente nota con los insumos que describe: ¡Bienvenida! El pan lo hacemos en casa. Ojalá te guste. Acá tienes también mermelada (la preparé yo). ¡Disfruta este tiempo de silencio! Nos vemos mañana. La chica se pregunta por la duración del silencio. ( ). Esta noche cenará pan con mantequilla de maní y mermelada de frambuesas. Se quedará dormida con el libro *De cuando el Kwai andaba por el mundo tocando flautas. Petroglifos del Municipio Salinas en el Estado Mérida. Una aproximación etnohistórica*, descansando en su abdomen. El libro, según anuncia en el prólogo, enfatiza en el estudio figurativo, tipológico, comparativo y analítico de estas manifestaciones rupestres, partiendo de una visión integral que contempla aspectos como su distribución geográfica, la analogía con expansiones poblacionales definidas por investigaciones arqueológicas, la información documental y el registro etnográfico. Esta noche como es de esperarse la mujer soñará con ríos, con comienzos del mundo y sociedades secretas, con el sonido de flautas.

Al día siguiente prepara café y se sienta en la silla del balcón. Se quita los zapatos, extiende los pies y hacia la baranda de madera y en posición de reposo cierra los ojos al exponer intencionalmente el rostro al sol. Siente tibio el rostro, tibio el sol, tibio el sol en el rostro. Entonces con los ojos cerrados y observando mínimos puntos de luz bajo los párpados, se pregunta si ha venido desde tan lejos a esperar al invitado, y si es que debe ocurrir un desplazamiento geográfico con la finalidad de que ciertas cosas tengan lugar. Ciertas cosas como, obvio, la llegada de una persona previamente convidada, que tendría que desplazarse para que el encuentro ocurra, claro, pero esta no es la pregunta, que es más bien una abstracta y como casi todo lo abstracto, inquieetante. Piensa en la expresión "tener lugar" y la relación que dicha fórmula establece entre el emplazamiento físico y la idea de acontecimiento, lo cual la lleva entonces a reflexionar sobre las leyes de la física que no entiende, o de las que lo único que comprende o le resulta útil ahora es que el tiempo y el espacio están conectados. Piensa que los Arawak, que ubican el comienzo del mundo en lugares en los que hay petroglifos, tienen todo esto muy claro desde siempre. Se pregunta si puede llamarse observar a lo que ella hace con los puntos bajo sus párpados y si aquel espacio que aprecia así, con los ojos cerrados puede llamarse espacio. Entonces nuevamente piensa en la física.

No le provoca salir, desea quedarse en aquella casita para siempre. Cierra los ojos y se ve cultivando flores, con las manos enrojecidas por el trabajo y el frío, las uñas sucias de tierra y las mejillas rosadas, llevando botas de goma y un bluyín deshilachado. Abre los ojos. Raya o suprime esa figuración. Cierra los ojos y se ve caminando el páramo y soplando una flauta sagrada. En algún momento regresa al tiempo presente en el que lo que vino fue a buscar y a escribir la historia sobre un comienzo y entonces le dice al aire: yo definitivamente vine fue a esperarte. Unos animales mínimos que no existen le muerden en el centro del pecho, y justo cuando se propone pensar en los ojos amarillos o verdes de la persona que ha convidado, sumergirse en ellos como si de una sima subacuática de colores trastornados se tratara, se distrae por la llegada de un gato gris, peludísimo, de raza no identificable, lo cual es irrelevante pues la heroína de esta historia ignora y de hecho se opone a todo tipo de clasificación relacionada con la idea de raza, felina o no. El gato se acerca, casi la empuja con el cuerpo ondulante, ronronea. Ella acaricia al recién llegado.

Un poco después del mediodía, y antes de que nuestra heroína se pregunte qué almorzará, llega Daniel con una bolsa color café de papel que contiene cuatro pastelitos andinos y como es de esperarse, luce brillante: parches lustrosos. Manchas de aceite. Este chico no ha sido convocado, la certeza de la invitación inconclusa o de desarrollo incierto sigue allí, acá, en la casita del árbol, en la nube inseparable, a pesar de la llegada de Daniel. Diremos que esta persona es como el gato, una presencia inesperada que aparece para bien. No tuvo que llamarla desde afuera, no tuvo que gritar su nombre desde abajo pues a su llegada y desde mucho antes, ella está allí mismo, en el balcón. Al verlo, el gato salió corriendo y desde entonces no ha regresado. Daniel sube las escaleritas enclenques y en cuanto la anfitriona abre la puerta extiende el brazo hacia ella: te traje los que te gustan, dice. Y le ofrece la bolsa. Entonces añade acariciándole tímidamente el cabello que enmarca una de las dos mejillas aún tibias: te ha crecido muchísimo, qué lindo te queda el piercing, refiriéndose a un piercing en la nariz que ella no llevaba la vez anterior y que todavía no se ha abierto. Cómo es esto posible, no lo sé. Le dice también, mientras ella coloca la bolsa sobre el pequeño mesón de la cocina, que sigue teniendo cara de pájaro. Se abrazan. Él le pide que se ponga los zapatos y sin preguntar exactamente a dónde se dirigirían y mucho menos por qué, sin tomar decisión alguna, ella obedece y salen. Debo advertir que lo hace con reservas, ella no vino a ver personas, ella vino a algo distinto cuyo nombre o descripción desconoce, está en el aire. En el camino al sitio él le cuenta que el bajista de su banda renunció, que se fue a Maracaibo a vivir con una novia y que están en crisis. La banda, no los novios. Ella asiente mientras piensa en lo desafinados que son, la banda. No es mala, en lo absoluto, pero es desafinada y ella no entiende cómo ambas cosas pueden tener lugar la vez. Tener. Lugar. Se pregunta si el vocalista es Daniel, pero obviamente no manifiesta la inquietud. Lo que dice es: no te preocupes, ya aparecerá un bajista. Al estacionar el auto en el lugar de destino ya es de noche. Han recorrido el páramo y entrado a la ciudad. Han comentado el tráfico (abundante) y la aparición de la luna (casi invisible hoy). Apagando el motor y con la llave en la mano, Daniel dice: hay una gente que quiero que conozcas. Están todos reunidos acá. Y señala con los labios hacia un local que tal vez ella no conoce.

En este momento la heroína está entrando con Daniel a un bar en el que tal vez ha estado y de ser así con seguridad no recuerda. Y entones se dice: no existe mejor motivo para invitar, para viajar, para encontrarse, que compartir unos paisajes y hallar en ellos el comienzo del mundo. Con la persona convidada, que de cierta manera ya está acá, allí, en este momento fraguado desde siempre, podrían ir e irán a alguna laguna. Entonces, la mujer (a)nota en su pensamiento que alguna y laguna son palabras gemelas. Piensa en todo aquello que flota en el aire y está a la espera de ser capturado para volverse historia. Suenan flautas desde siempre escuchadas. Entonces ella pide al comienzo del mundo que guarde silencio. Éste obedece y continúa cumpliendo con su trabajo, sin molestar.

Una vez en el bar entienden que ya todo el mundo, lo cual es un decir, se ha ido. Daniel propone ir a su casa y darle un concierto. Ella acepta la invitación. Se detienen en un abasto y compran chicharrones y una botella muy barata de vino tinto que no está nada mal. Esto no es relevante, ni siquiera será mencionado durante la noche en la que luego de unas cinco canciones que comprueban los temores iniciales de la mujer, el cantante de la banda es Daniel, terminan hablando sobre un cortometraje que él quisiera escribir y luego sobre la búsqueda de ella, la historia que está escribiendo o escribirá y quién sabe, le dice a Daniel, si se convertirá en una película también. Hay algo en mi historia que no cuadra, dice él: las edades de los personajes y los momentos históricos oficiales, y no sé si esto es relevante. Pasado un tiempo de duración indefinida se ponen de pie, suben al auto, y recorren la primera parte del camino en silencio, y haciendo planes para el resto de la semana durante la segunda. Entre las opciones: ir a la Laguna Verde, tomar caipirinha, ir al mercado, y comerse unos hongos alucinógenos. Nuestra heroína sabe que la mitad de las cosas que proyectan no ocurrirían. Hacen planes sabiendo bien, o mejor dicho escuchando al mismo tiempo una voz que asegura que eso de lo que están hablando con tanto interés, muy probablemente no lo harán. Al entrar a la casita la mujer cierra la puerta tras de sí, se saca los zapatos con un empujoncito de las puntas de cada pie hacia los talones opuestos. Un zapato primero, otro después. Mira hacia el piso y observa sus medias.

El segundo día se despierta y permanece en la cama, mirando al techo de cerca y deseando tener el súper poder de preparar café desde allí, sin moverse. La tesis de que posiblemente sí ha venido para pensar en el invitado aunque haya venido sola y a buscar petroglifos Arawak, ha cobrado fuerzas. Al recordar el color de sus ojos, los de él, el amplio rango cromático posible comprueba lo que ella ya se sabe: al coincidir en reuniones generalmente ella se pone nerviosa y oculta la vista. Ocultar los ojos no te hace transparente. Para esto existe el manto de invisibilidad, que más que un hábito es un arte que domina muy bien, y habitualmente. El caso es que la mujer continúa acostada en la cama, siente que la estructura gime y que está a punto de caer como un elefante al suelo. Es la memoria, que pesa lo que arrastra. Aquí estás, le dice al techo. El cuerpo le arde de nuevo. Baja con cuidado, escalón por escalón no se resbale con las medias de lana, y le da play a Syd Matters y Jolie Holland antes de calentar el agua para un café. Cuando se propone subir las escaleras para deslizar las manos bajo la liga de la pijama e intentar apaciguar los animalitos que la recorren tan rebeldes, escucha a Zoila afuera jugar con Trentis. La heroína postpone el momento y se asoma por la ventana. Se calza sin amarrarse los zapatos y las medias de lana se arrugan en los tobillos. Sale. Se abrazan. Se van juntas por el camino hasta la casa de Zoila cuya sala resulta, ahora sí, completar el universo de las ventanas posibles pues muestra largos ventanales diagonales que ofrecen la sensación de estar sobre el Páramo. En la sala también hay telares. La heroína mueve los deditos de los pies dentro de los zapatos. Mientras Zoila se desayuna ella toma otro café y prueba unas galletas de avena que encuentra un tanto envejecidas. Zoila le regala un frasco de miel (para el pan). La heroína piensa que esta mañana es perfecta. También que cuando regrese a la casita del árbol extenderá una cobija en el balcón y con su nube se acostará a respirar. Se quedará escuchando el aire y dejará que los personajes se muevan como comics, junten lo que tienen que juntar y desordenen lo que ha de desordenarse, que posen sus problemas y tocando sus flautas para inaugurar el mundo naveguen los ríos dibujados en los mapas que ella ha traído y conoce tan bien como si los hubiese navegado alguna vez. Con los ojos cerrados verá los dibujos en las piedras. En eso llegará el gato, se acurrucará junto a ella y empezará a ronronear.

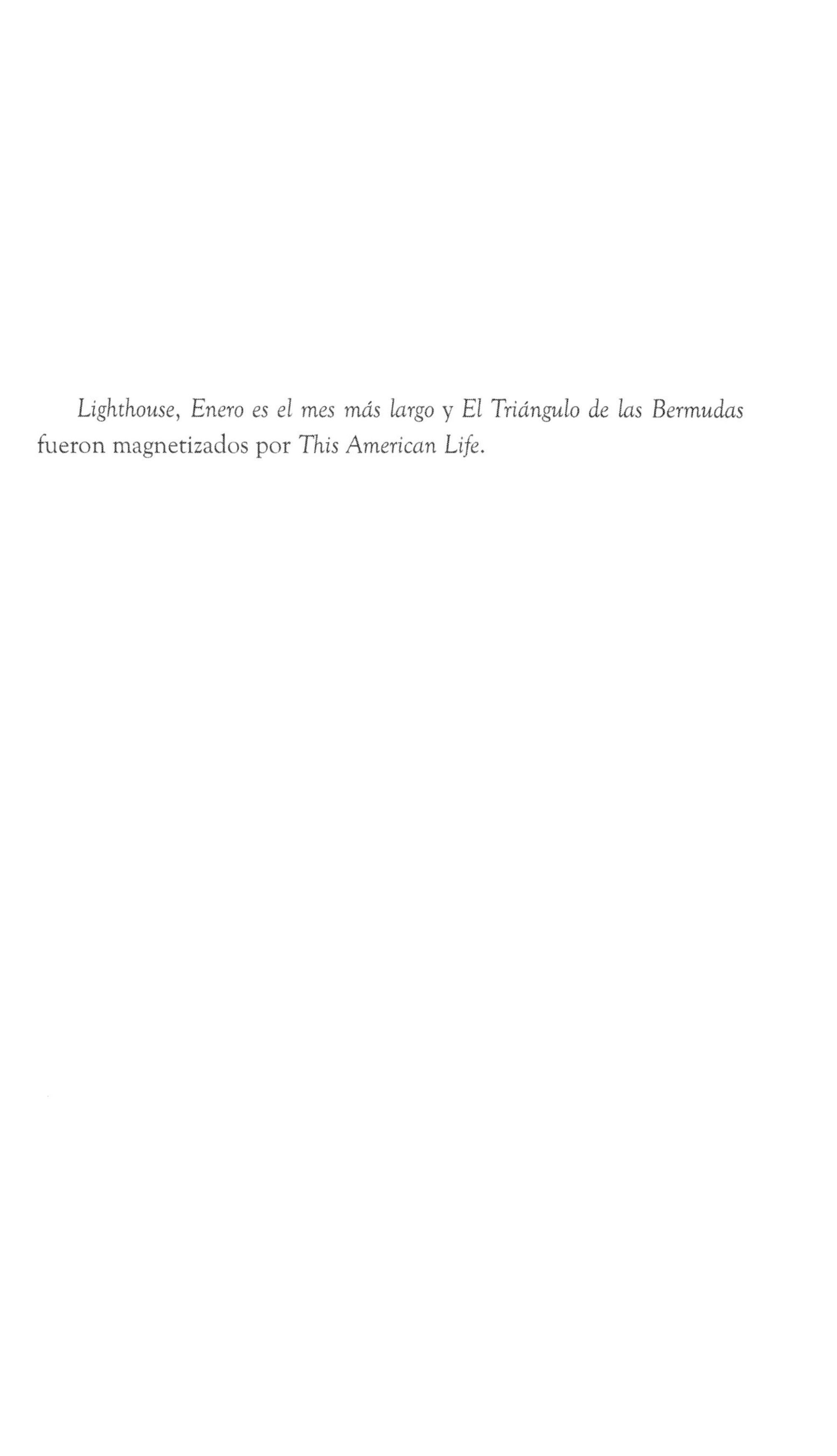

Lighthouse, *Enero es el mes más largo* y *El Triángulo de las Bermudas* fueron magnetizados por *This American Life*.

«Keila Vall tiene una voz muy particular. Es minuciosa y vehemente. Su escritura demuestra que organizar la memoria es una forma de administrar la desesperación. Todos los cuentos de Ana no duerme y otros cuentos confirman su talento y su extraordinaria capacidad de transformar el mundo exterior en una intimidad».

Alberto Barrera Tyszka

«Las historias de Keila Vall son poemas narrativos sutiles, que se desgajan en la boca al leerlos en voz alta».

Valmore Muñoz Arteaga

Por la misma autora:

www. sudaquia.net

Otros títulos de esta colección

Abecedario del estío — Liliana Lara
Ana no duerme y otros cuentos — Keila Vall de la Ville
Asesino en serio — Francisco García González
Barbie / Círculo croata — Slavko Zupcic
Blue Label / Etiqueta Azul — Eduardo Sánchez Rugeles
Breviario galante — Roberto Echeto
Caléndula — Kianny N. Antigua
Carlota podrida — Gustavo Espinosa
Colección de primeros recuerdos — María Dayana Fraile
Cuando éramos jóvenes — Francisco Díaz Klaassen
De la Catrina y de la flaca — Mayte López
Desde Alicia — Luis Barrera Linares
El amor en tres platos — Héctor Torres
El amor según — Sebastián Antezana
El azar y los héroes — Diego Fonseca
El bosque de los abedules — Enza García Arreaza
El espía de la lluvia— Jorge Aristizábal Gáfaro

El fin de la lectura – Andrés Neuman

El fuego de las multitudes – Alexis Iparraguirre

El inquilino – Guido Tamayo

El Inventario de las Naves – Alexis Iparraguirre

El síndrome de Berlín – Dany Salvatierra

El último día de mi reinado – Manuel Gerardo Sánchez

Exceso de equipaje – María Ángeles Octavio

Experimento a un perfecto extraño – José Urriola

Florencio y los pajaritos de Angelina su mujer – Francisco Massiani

Fuera de lugar – Pablo Brescia

Goø y el amor – Claudia Apablaza

Happening – Gustavo Valle

Hermano ciervo – Juan Pablo Roncone

Hormigas en la lengua – Lena Yau

Intrucciones para ser feliz – María José Navia

Intriga en el Car Wash– Salvador Fleján

La apertura cubana – Alexis Romay

La casa del dragón – Israel Centeno

La fama, o es venérea, o no es fama – Armando Luigi Castañeda

La filial – Matías Celedón

La Marianne – Israel Centeno

La soga de los muertos – Antonio Díaz Oliva

Las bolsas de basura – Enrique Winter

Las guerras perdidas – Oswaldo Estrada

Las islas – Carlos Yushimito

Las peripecias de Teofilus Jones – Fedosy Santaella

Los diarios ficticios de Martín Gómez – Jorge Luis Cáceres

Los jardines de Salomón – Liliana Lara

Mandamadre – Leopoldo Tablante

Más allá de un boleto – Pedro López Adorno

Médicos, taxistas, escritores – Slavko Zupcic

Moscow, Idaho – Esteban Mayorga

Música marciana – Álvaro Bisama

Nombres própios – Cristina Zabalaga

Nostalgia de escuchar tu risa loca – Carlos Wynter Melo

Punto de fuga – Juan Patricio Riveroll

Que la tierra te sea leve – Ricardo Sumalavia

¿Qué pensarán de nosotros en Japón? – Enrique Del Risco

Reflexiones de un cazador de hormigas – Diego S. Lombardi

Reverso – Enrique Jaramillo Levi

Sálvame, Joe Louis – Andrés Felipe Solano

Según pasan los años – Israel Centeno

Tempestades solares – Grettel J. Singer

Texarkana – Iván Parra García

Una isla– Isabel Velázquez

www.sudaquia.net

Printed in Great Britain
by Amazon